新潮文庫

夏の終り

瀬戸内晴美著

新潮社

目次

夏の終り

あふれるもの

洗面道具をかかえたまま、通りの途中ですばやくあたりを見廻すと、知子《ともこ》は行きつけの銭湯とは反対の方向の小路へ、いきなり走りこんだ。

住宅の建てこんだせまい道には、表通りよりも濃い闇がよどんでいた。たちまち知子の姿をつつみこんでくる。一気に闇の中を小一町も駆けぬけて、ようやく息を入れた。

ビニールの風呂敷でつつんだ洗面器の中には、はじめからタオルで小道具をくるみこんでいて、こんな走り方の時にも、不用意な音をたてないように気が配ってあった。こういう行動をとりはじめてから知子の覚えた小細工だった。

知子ははじめの頃、走る度に洗面器の中で躍りあがり、ぶっつかり合う、石鹸箱やクリームの瓶《びん》の音に怯《おび》えたり苛《いら》だったりした。湯上りタオルの入れ方ひとつで、その音が難なく防げるのを発見した時、ほっとした想いよりもはるかに激しい惨《みじ》めさに打ちのめされた瞬間を、知子は今でも忘れてはいない。

知子の下宿に内風呂がないという唯一の不満が、今ごろ、こんなところで役立つようになろうとは、知子自身も考えてもみなかったことであった。

慎吾の目をかすめ、銭湯へ行くふりをして、涼太《りょうた》を訪ねるという大胆な熱情的な行動をじぶんに強いるものの正体を、知子がみきわめているわけでもなかった。

ある日突然、銭湯へ行く途上で、この道を反対にとり、邸町《やしきまち》の細い路地を迷路のように走り抜けていけば、意外に速く、一駅離れた涼太の部屋へたどりつくのではないかと思った瞬間、もう知子の足は止み難い衝動につき動かされ、いきなり横町へ走りこんでしまった。

その路は、頭で描いたよりもはるかに遠い感じで、行けども行けども涼太の部屋に近づかなかった。それでいて、実際にかかった時間は、知子が目算したよりもはるかに短かかった。

涼太の下宿が行手に見え、涼太の部屋に燈がついているのを見た瞬間、知子はかえって狼狽《ろうばい》した。こういう訪ね方が涼太にどんな衝撃と感動を与えるか、想像しないでもわかっていた。引きかえすなら今だと、知子ははっきり考えた。そのくせ脚は、そこからいっそう速度を増し、一気に涼太の部屋の燈にたぐりよせられていった。

案の定、涼太はふいにドアの中にすべりこんで来た知子を見て、幽霊を見るような目つきをした。次の瞬間、事態をのみこむと口も利かず、震えながら、いきなり知子の肩をわし摑《づか》みにした。

「こんなことして……こんな……」

顔を離すと、うわごとのようにつぶやき、なおいっそう激しく唇をふさぎにきた。

たいそう長い時間そこにそうしていたように思ったけれど、実際には五分とたっていなかった。

知子はろくに口もきかず、あわただしく入口のガス台で湯をわかすと、流し兼用の洗面台で、じゃぶじゃぶ顔を洗った。タオルをしぼり、涼太に背をむけて着物の裾をひろげ、手早く脚をふきあげた。ためらいのない、きびきびした動作だった。ふと、涼太の目に、馴れているようにさえ見えるほど手ぎわがよかった。

「さあ、帰らなきゃあ」

知子は今は時間だけを気にしている真剣な顔つきになり、洗面道具をかかえこんだ。本当に一風呂浴びたような、上気した清潔な顔をしていた。目が強く輝いていた。

涼太が立ちかかると、

「いいの、いいのよ。走ってくんだから」

と激しくおしとどめた。この上、家の近くまで、涼太に送らせる不貞さが、慎吾に対してあまりだという矛盾した考えに、知子が今、とりつかれているのが、涼太にもわかった。

人より短い知子の風呂の時間が、人並になった程度のことで、そんな知子の危険な行動は、慎吾に気づかれているふうもなかった。

涼太は、それまでにしてやってくる知子の一途な行動を、何より確かな愛の証《あかし》だと受取った。

思った通りの結果になったのを、知子はどうしようもないと思いながら、涼太の単純なひとりぎめが心の底では腹立たしく、苛々していた。涼太にそれを告げられないままに、知子は慎吾といる時、前にもまして優しさと愛にあふれていた。涼太とどんな激しい密会を重ねていっても、知子は慎吾への愛が一向に薄らがない自分を感じていた。けれども、涼太との事が、慎吾に発覚する瞬間を想像すると、血の凍るような恐怖が全身に流れる。

考えてみれば、もしも知子の裏切りが慎吾に発覚したところで、妻に不貞をされた世間の夫のように、慎吾が真向から怒れるわけの間柄でもないのだった。慎吾と知子は、もう八年という茫々とした歳月の波をのりこえてきたけれども、慎吾にははじめから妻子があったし、知子と結婚しようとは一度も語りあったわけでもなかった。二人の歳月のどのあたりから、その様な型に決ったのか、もうお互いたしかな覚えも薄れてしまったほど、いつとはなしに、慎吾は妻と知子の間をほとんど等分に往復して暮すようになっていた。

知子は機嫌のいい時、わざと、

「あたしは情婦ですからね」

などといった。その度、慎吾のみせる気弱そうな当惑顔をからかって面白がる。慎吾が妻と別れようかと一度も云い出さないのは、虫が好すぎるとしても、慎吾にそれを云いださせないでもよい感じを、知子自身が与えていたともいえる。

知子も本気で、慎吾の家庭を破壊してまで、慎吾の妻としての立場を望んだことは一度もなかった。

染色の仕事で、いつのまにか売れない小説家の慎吾よりは、経済能力の出来てきた知子は、なおさら、慎吾の妻にも世間にも悪びれず大っぴらな態度で、慎吾の愛人としての立場に気負っていた。誇示してきたところさえあった。

仕事を持っている知子は、慎吾が妻の許《もと》に帰っている時間さえ、あるいは好都合と考えていたのかもしれない。少くとも、知子の立場のような女たちがその時感じる筈の、物狂おしい嫉妬《しっと》にさいなまれた記憶も、ほとんどなかった。

「慎はいつまであたしにこんなままでいさせるつもり？」

ごく稀《まれ》に、知子がいかにもびっくりしたように、慎吾に問いただすこともないではなかった。それは慎吾の無責任さやずるさを責めるというよりも、じぶんのルーズさに、突然気がついた時の、愕《おどろ》きがこめられていた。

世間の道徳の枠からはみだした場所で、慎吾の妻の存在と、その心の奥にさえ、目をそむけていれば、そんな不自然な生活のあり方が、一向に苦痛にならなかったし、何時《いつ》までも、たとえば三人のうちの誰かが死ぬ日まで、事もなくつづきそうな気配でさえあった。

互いの狎《な》れあいの上で平衡の保たれたこの奇妙な関係の中に、突然涼太が侵入してきた日のことを、知子は思いだす。

外出から帰った知子をいつものように玄関まで出迎えた慎吾が、知子がおしつけてくる荷物を胸に抱きとりながら、その日、さりげない声でいった。

「来たよ、今日」

「え？　誰が」

慎吾の目の中にかすかだが押えた笑いがただよっているのをみとめ、知子は首をかしげた。

「誰が来て？」

慎吾に涼太の姓を告げられても、知子は一瞬、動きのない表情でぼんやり突っ立っていた。木下というありふれた姓はどこにでもあった。それに、知子はもうその姓を、通りすがりのパン屋や洗濯屋の看板に認めても、昔のように、反射的に涼太の俤《おもかげ》と結びつき電気にふれたように心の芯《しん》が痛むあの作用を、とうに失っていた。

涼太と最後に別れてからすでに十二年あまりもの歳月が流れていたのだ。

「木下涼太だよ」

慎吾がいつもよりいっそう優しい口調でいった。

慎吾の声を聞いても、やはり動きのない、ぼんやりした表情を変えなかった。驚きとも困惑ともちがう、一種の虚脱感がその時知子を襲っていた。「時」が一瞬、白い川のような形のある幻影をもって、知子の頭の中を素速く流れ走っていった。

「仕事で近所まで来たから、ちょっと寄ってみたといっていた」

「………」

「上って待ちなさいと何度もいったけど、また来ますって、帰っていったよ」

「……どんな感じだった」

「おとなしそうな男だ。名乗られる前に、何となくすぐわかったよ」

日頃の慎吾にしては口数が多かった。


八年の間に、いつのまにか知子はじぶんの過去のすべてを慎吾にあけ渡していた。その中には、別れた夫のことも、その別れの原因になった涼太のことも含まれていた。慎吾はいつの場合も、決してじぶんから知子の打ちあけ話や告白を、うながすようなことはしない。

最初のころは、見栄や気どりもあって、話のあちこちを小さな嘘で粉飾して、適当にごまかしたりぼかしたりしておいた打ちあけ話を、お人好しの知子は、結局、じぶんから前の話と辻つまの合わないのも忘れて、いつとはなしに正味の過去を一つずつ慎吾に手渡していた。そうする度、知子の軀《からだ》から、旧い垢《あか》が鱗《うろこ》をちらすように落ちていくすがすがしさが残る。そう感じた頃には、もう知子は、慎吾の前に、透明な硝子《ガラス》細工の単細胞のような単純さで立っていた。

知子との恋愛に破れた後、南の島で結婚していた涼太が、その結婚も不首尾に終って、半年程前から上京しているらしいという噂は、知子の耳にも入っていた。それが聞えてきた時も、知子はすぐ慎吾に、

「木下さんが上京してるんですって」

全く世間の噂話をする軽い口調に、一種の好奇心をからませて話していた。過去の男たちのことをさんづけで呼ぶのは知子の癖で、そんな時、知子の表情は、慎吾の目にも何の翳《かげり》もなくけろりとしたものに映った。

知子は軽く眉を寄せると、

「困ったものねえ、あの年になって今更東京で一からやり始めようなんて、どだい無理よ。むこうにいればいいのになあ」

と、じれったそうにいった。遠い身内の不始末を非難しているような、無責任な冷淡さと、昵《じっ》懇《こん》さがその口調にあった。

それっきり、知子は慎吾に涼太の話を持ちださなかった。実際、知子は上京した涼太のことを全く忘れていた。互いの生涯の運命を狂わせてしまうような無法な激しい恋の苦渋や甘美さの想

い出も、十二年の歳月の生活の荒々しさが、押し流していて、干上った灰色の河床のような虚《むな》しさだけしか、今は知子の胸に残っていない。

じぶんの心から推して、涼太の方はもっとじぶんとの想い出に対して冷淡だろうと考えていた。別れの傷は知子より涼太の方に深く刻まれている筈だ。

その涼太が向うから訪ねてきたことは、知子になつかしさよりも、軽い鬱陶《うつとう》しさを、とっさに感じさせた。

それは平穏な結婚生活の途上で、ふいに、昔の不用意な恋の相手の影をみて妻の感じる性質のものだった。知子はもしこの問題が複雑になりかけたところで、慎吾がうまくさばいてくれるだろうという、まかせきった安心感と甘えがあった。それもまた、日頃は、寛容な夫に威張らせておいてもらっている妻が、かんじんのところは、たちまち夫の袖のかげに逃げこむ態度と共通のものであった。

慎吾がとにかく、じぶんの昔の恋の相手に、第一印象で好意を感じたらしいのに、知子はわけもなくほっとしていた。

涼太が慎吾に出迎えられて、愕きもせず、悪びれもしなかったと聞いて、知子は涼太がじぶんたちの生活のあり方を、すでに聞き識《し》っているのだろうと察した。涼太に対してそのことで後ろめたさも恥ずかしさもなかった。

知子の心のあり方は、一分のすきもない慎吾の妻の心境であった。慎吾の妻が八年間、知子を無視することで辛うじてプライドを保っているのだとすれば、知子の方でも、それと同じことがいえた。

知子は慎吾と暮しはじめて以来、八年間、一度も慎吾を裏切らなかった。

涼太から電話がかかってきたのはその年もあけた正月の四日だった。

知子は暮から風邪《かぜ》をこじらせて寝こんでいた。空は晴れていたが、風があるのか、窓の外の電線が鈍くゆれうごいていた。

涼太が他人行儀なことばで、年賀の挨拶をすまそうとするのを、知子の方から、誘った。

「これからいらっしゃらない？」

「……………」

「あたし病気なの、今も寝ているの」

「……それじゃわるいでしょう」

「だから、来て下さい、お見舞に」

「……………」

涼太の沈黙の重さが、受話器から知子の軀の中に流れこんだ。それはたちまち重苦しい後悔になって軀中にひろがっていった。

十二年前、やはり、こんな凝った沈黙の重苦しさを、涼太がことばのかわりに知子の体内に流しこんできたことがあった。知子はそれをなまなましく思いだした。

あの時も、口を切ったのは知子だったのだ。責めるような、何かに堪えるような、涼太の愕きと、怖れと歓びのいりまじった濃密な沈黙の重さは、昔のままの強烈さで知子をかすかに身震いさせていた。

三月前、涼太の訪問を聞いた時の迷惑ぶった感情は何だったのか、知子はじぶんの心の頼りなさにこだわった。

涼太との再会がもし正月でなかったら、事態は全くちがった方向にむかっただろうか。

正月という時は、知子が慎吾との生活をはじめて以来、一年中で一番惨めな暗い日々であった。

慎吾は知子に、妻と別れようとは決して云わなかった。そんな律義《りちぎ》さで、家庭に夫の必要な日、たとえば、家族の誕生日、親族の慶弔、氏神の祭などには必ず妻子の許にいた。もちろん、正月を他所《よそ》ですごすようなことはなかった。

知子は慎吾なしに過した様々な正月の記憶の痛みを、胸の奥に畳みこんでいる。

下宿でひとり大晦日《おおみそか》をすごす淋しさに堪えかねて、友だちの家庭を訪れたこともある。いたわられるほど、自分が闖入者《ちんにゅうしゃ》だという気がねから、居たたまれなくなったあの正月。そんな苦い経験から旅先で正月を迎えることにして以来の、様々な宿の正月……山国を越える夜汽車の窓に映った初日、雨の海峡の連絡船の中でラジオに聞いた除夜の鐘、湯の町の湯船から見下した妙に森閑とひるがえっていた日の丸の旗……

それらのどの風景の中にも、知子の暗い孤独な表情が重なっていた。

その正月も慎吾は、大晦日の最終の電車まで、知子の枕元で看病していたが、やはり除夜の鐘は家族といっしょに聞きに帰った。

折返し、元旦の昼前やって来た慎吾は、知子の高熱に驚き、夜も眠らないでみとった。三日の朝、慎吾の優しさにすっかり気をゆるしていた知子の枕元で、慎吾は、物静かに外出の支度を調えると、

「今日、むこうで用があるんだ。六日に来る」

とさりげなくいって、立ち上った。出がけに唇で知子の熱をたしかめてから、

「もう大丈夫だな、でも明日一日用心して寝てなきゃだめだよ」

と云いのこした。知子はそれには答えず、くるっと寝がえりをうつと、出てゆく慎吾の方を目で見送ろうとさえしなかった。その時、知子の脳裡《のうり》には、過去の八年の正月の苦い想い出が一ときにあふれ、口もきけないでいた。

凉太を迎えた知子はたった今床をあげたばかりの病み上りの頰に、まだ熱っぽいうるんだ瞳をしていた。

十二年ぶりの凉太の目には、その日の知子が、まるで隙だらけに見えた。むき出しの孤独と、人なつかしさが、知子自身は意識しない危険さで、知子の全身に甘えをみなぎらせていた。

凉太はそんな知子を見て早計に、知子が決して噂のように幸福ではないのだと思った。

上京以来、転々と変った下宿が、いつのまにか、知子の住居から私鉄で一駅しか離れていない地域に来たのも、無意識に、知子に逢いたい下心があってなのかもしれないと、考えられた。

けれどもそんな感傷の下からすぐ、こんな知子に再びかかわりあって、あの秋の訪問の時、ち

らっと逢った陰気な表情の、いやに親切らしい口をきいた男と、知子を中に渡りあうのは、もう結構だという気持も強かった。

　知子と別れて以来、散々放蕩《ほうとう》もし、水商売上りの子持ち女と、五年も所帯を持った涼太は、十二年前から女としての成長が止っているような感じをうける知子がじぶんより年上の、かつての恋の手ほどきを教えた女だとは信じ難い。知子が仕合せではなさそうだという推測が、強まるにつれ、じぶんも責任の一端があるような気さえしてきた。

　知子は十二年ぶりで見る涼太の変り様に、胸をつかれていた。表面は、柔かな自然のウェーブの髪が目立って少くなったのと、酒で荒れた白い皮膚に昔の初々《ういうい》しい清潔さがなくなっている程度で、それほど変り様も目立たないのに、一見して涼太から受ける感じは、ひどく精気に乏しい病的に無気力なものだった。目にも輝きがない。

　決して、涼太がいいかげんな相槌《あいづち》をうってよこすわけではないのに、涼太との対話は、空気と話しあっているような空虚さがあった。呼吸はしているのに、涼太は生きていないような気がする。

　知子は次第に苛々してきた。ほんのかりそめの会話でも人に対した時は、相手にじぶんの全力を打ちこんでいかなければ承知出来ない知子は、打ちこんでもそそぎこんでも、一向にきりっとした反応を示して来ない涼太にじりじりした。

「何だか、あなたの方が病後みたいね」

「どこも悪くないんです、ただ……」

「ただ、どうしたの」

「医者にいわせると、生命力が稀薄なんだそうです」

「そら、やっぱりそれは病気じゃないの」

「病気じゃないんですよ。この間病院でみてもらったら基礎代謝がマイナス何十とかで、医者が呆《あき》れていましたよ。健康者にはない数字らしい」

「いやあね、半死人みたい、マイナス何十なんて」

知子は不快そうに顔をしかめた。

「……むかしは……あなたはそんなじゃなかったわ」

涼太が老《ふ》けた表情でかすかに笑った。知子の方がみるみる赤くなった。

はじめて涼太と逢ったのは、戦争中の北京《ペキン》だった。知子は卒業を待ちかねて結婚し、夫の佐山に従って北京へ渡ったばかりの頃だった。

はじめて見る北京の秋の玲瓏《れいろう》さに、魂を奪われる暇もなく、北京へ着いて一カ月もすると、佐山が熱病に罹《かか》ってしまった。

夜になると佐山の熱は四十度を越した。

熱におかされた佐山の頭の中は、どういうわけか動物の幻影で満たされるらしい。

「そこのソファでモスコーの鼠がバレーを踊ってるね」

とか、

「さっき阿部川のなまずの夫婦が見舞にきたよ」

など、うつろな目を知子にむけてうわごとにいう。まだ気心も充分しらない夫と、幻の奇妙な動物の群にかこまれて、知人一人ない異郷の心細さに、夫が眠ったあと、知子はソファのすみで膝を抱き泣いてばかりいた。

そんなある日の午後、突然訪問客があった。ドアの外に立ったほっそりした青年のすがすがしさに、知子はかすかに身震いした。

夫の教え子と名乗った木下涼太に、知子はあわてて威厳をつくろった。

「あたし佐山のかないです」

初めて遣うことばに知子がはにかむ前に、涼太が小さく失笑した。知子はまだ学生時代のままのおさげにしていたし、白とっくりセーターに真赤なジャンパースカートをつけていた。小柄なので二十一とは見えず、せいぜい十八くらいにしか見えなかった。知子は学生の表情にかえり、ちろっと舌を出した。後手にドアをしめ廊下へ出た。馴れた学生口調で早口に告げた。

「あのね、佐山、今熱病で寝てるの、伝染病かもしれないわ、入ってはだめ、でも……また、いらしてね」

知子は涼太をうながすように、ロシア人の経営するその飯店の外まで送り出した。

涼太は上海《シャンハイ》の学校から修学旅行で北京へ立ちよったこと、従ってまた訪れることはできないと語った。

明るい陽光の下で見るとまだ少年と呼ぶにふさわしい、初々しい皮膚をしていた。旅行用の半ズボンに白い膝下までの靴下につつまれた足がしなやかにのびていた。

玄関の階段を降りきると、涼太は入口で見送っている知子をふり仰いで片手をあげた。

「さようなら、おくさん」

二人の笑い声が乾いた空気の中にからまって小気味よくはじけちった。

胡同《ホートン》の入口で涼太はもう一度ふりかえった。知子はそこに長く立ちすぎていたような気がした。

部屋に帰ると佐山が尿意を訴えて苛だっていた。熱でじとじとした夫のものにしびんをあつかいながら、知子は急に、指の間のものを醜悪だと感じていた。

その次涼太に逢ったのは終戦後の郷里の町であった。

人口十万あまりの眠ったような山峡の町にも戦後の解放の波がおしよせ、奇妙に浮々した社交気分がみなぎっていた。そうした町の空気の中で佐山は連日忙しそうに外出し会合に出席していた。北京から引揚げてきた佐山は、その町では数少い知名の文化人であり、新聞の論説委員であった。

いきなり訪ねてきた背広の男が、上海から復員してきた涼太だとわかった時、知子には耳の奥から、さよならおくさんという涼太の四年前の声が聞えてきた。

涼太はあの時とは全くちがう慇懃《いんぎん》な微笑を浮べ、折目正しい挨拶をして、知子を面くらわせた。

やがて涼太は、いつのまにか佐山の秘書めいた役割をつとめていた。事務能力があって目先のはしこい涼太は、佐山の頼みごとなど、じぶんの仕事の片手間でやってのけた。伯父の会社の会計をまかされている涼太は、仕事を片づけていく上に無駄な労を費さない。要領の好さと適度なずるさが、人の目に頭のきれるやり手として映ると同時に、油断のならないという警戒心を抱かせた。

知子は、慇懃な中にどこか気の許せない感じを他人に与える涼太が、知子と話す時だけは、不用意に、北京の廊下で見せた少年くさい笑顔を時折のぞかせることがあるのに気づいていた。そして知子が涼太にむかった時だけは、ぞんざいな学生ことばを若々しく使っていることには気づいていなかった。

東京でのK省の勤口が突然決って佐山が上京することになった時、思いがけない狼狽と失望が知子を捕えた。知子ははじめて、じぶんの涼太にむかっている心の傾斜に気づかされ、愕然《がくぜん》とした。

住宅難で、当分は佐山ひとりが先発し、家を見つけて呼びよせるという方針に決った時、知子はほっとした。

急にまわりの空気がすかっと軽くなった。その爽やかさは後ろめたさにつながっていた。けれども知子はまさかこの現実の世界で、じぶんが佐山と子供を裏切り、涼太への日ましにつのる理不尽な恋情をとげようなどとは思いもよらなかった。

何も気づかない涼太が、佐山の留守を時々見舞ってくれる時、情念の中で涼太と逢いつづけている知子は、現実の涼太を前にして、かえって気のぬけた白けた表情や態度をとることが多かった。

そんな頃、東京の佐山から、全く思いがけない便りがとどいた。

今度この町から立候補したある代議士の選挙を手伝うようにという指令だった。

この選挙を手伝っておくことが、佐山やひいては知子一家にどれほど利益があるかということが、その手紙には説明されていた。さしあたって家の問題も、そこから解決すると強調してあった。

知子をいっそう愕かせたのは、その選挙戦に、佐山が涼太まで推薦したということであった。選挙には全くの素人《しろうと》の知子が、やがて到着した一行に繰り入れられ、たちまち、暴力的な選挙の熱風の中にまきこまれていくのに何程の日もかからなかった。

選挙戦は七月の中旬から展開された。燃えつくような山峡の盆地の町を駆けまわりながら、知子も次第に一種のスポーツのような選挙の興奮状態に溺《おぼ》れこんでいた。候補者が毎日、一字一句ちがわない同じ演説をレコードのように繰返しても、その同じ箇所で正確に涙を流して泣いてみせても、知子は、もう最初のように、笑いをこらえたり、抵抗を感じたりしなくなっていた。疲労と共に神経も選挙という奇怪な熱気に犯され麻痺しはじめていた。異様な言辞も行きすぎの行動も、選挙の勝負に関する以外は、誰の目にも映らなくなっていた。終日ぶっとおしの興奮状態が常態の中で個人の喜憂など影も薄かった。

街頭演説の前の短い休憩の時間を、道端のよしず張りの陽かげで、知子は涼太のワイシャツのボタンのとれかかったのをつけてやる。汗くさい涼太の胸に顔をよせ、歯で糸を切ったりする。

そんなしぐさも上ずった誰の目もそばだたせはしない。一つ車に汗の匂いをまぜあわせて便乗し、一つ部屋に雑魚《ざこ》寝《ね》する。個人的な話をかわすひまなど全くないのに、知子は涼太と毎日おびただしい会話をかわしたような、にぎやかな気持に満たされていた。

それが最後の夜だった。町から二里ばかり離れたたんぼの中の小学校で、候補者の最後の演説会が行われていた。

知子は講堂をぬけだし、暗い階段の中ほどにぐったり腰をおろしていた。

——すべては終った。そして何事もおこらなかった——

スピーカーを伝わってくる候補者の謡曲できたえた太い声の間をぬって、蛙の声が四囲のたんぼの中からわきたっていた。

知子は軀が空洞になり、そこに蛙の声が流れこむような気がした。明日からまた平穏な日が帰ってくる筈であった。平穏で退屈な……蛙の声が軀にみちみちていく。するとそれに押しだされるように涙があふれた。知子は膝に顔をおしあてて泣いた。

気がつくと、階段の下に涼太が立っていた。涼太は大きなハンカチをだすと無言で知子の膝に置いた。

マッチをすり、煙草に火をつけて、知子の横に立ちひっそりそれを吸った。

「長かったからなあ、疲れてらっしゃるんですね」

ひとりごとのようにつぶやくと、知子の傍から立ち去ろうとした。

「なぜ……逃げるの」

知子は今、じぶんが何をいったのか覚えなかった。

「…………」

涼太の薄茶色の瞳がふりかえり、知子の目に吸いよせられた。責めるような、何かに堪えるような、涼太の愕きと、怖れと歓びのいりまじった濃密な沈黙の重苦しさが、知子の体内になだれこんできた。

慎吾が予定通り、海辺の家から帰って来た時、知子は珍しく、留守中の出来事を、待ちかねたように喋《しゃべ》りかけるいつもの癖をためらった。慎吾に話すことで、すべての行為がじぶんの中に定着する習慣を培《つちか》ってきた知子にとっては、それは、咽喉に魚の骨がささっているような、不快さと絶え間ない気がかりを生じただけだ。

夕飯の途中から、とうとう知子はたまりかねたようにきりだした。

「慎が病人ほったらかして帰ったりするから、留守にあたし、いいことしてやった」

子供が大人にむかってすねてみせるような調子で、知子は唇をとがらせて、上目づかいにいった。

「何をしたんだい」

逢った時から、知子がいつもとちがっていることを見ぬいていた慎吾は、笑って、知子の唇元をみつめた。

「涼太くんと逢ってやった」

知子の口調にはまだ、甘えがこもっていた。

「また、来たのか」

「ううん、電話が来たから、あたしが呼んだの」

「……………」

「だって……つまらなかったんだもの、ひとりで寝てなんかいられない」

「楽しかったかい」

「ええ、ええ、とても！」

「それはよかったね」

慎吾も笑った。

知子はそれだけで、せいぜい正月の自分の受けた孤独感や不当な扱いに対する憤懣を述べたつもりになっていた。事実、その程度の暗示やあてこすりで、慎吾はいつでも十二分に、知子の不安や淋しさを汲《く》みとってやることができた。

知子の病後の軀を不安がる涼太をうながして、知子はあれから新宿へ出た。

昔の知子は、煙草も酒ものまなかった。今の知子は、酒に強い涼太の相手さえ出来る。酒が入ると、涼太の無気力な表情にも陰影がつき、瞳にもほのかな燈がともったように見えてきた。

知子は涼太がびっくりするほど盃《さかずき》をかさねた。時々すっと空の盃を持った手を涼太の胸先につきだす。それはごく自然な、なめらかな挙措で、美しくさえ見えた。涼太が盃を満たしてやると、当然のようにそれを口に運び、音もたてず、すうっと一息に吸いこむように酒を干す。何度めかの盃を満たしてやった後で、涼太は聞いた。

「あなたはいつも小杉さんと酒をのむ時、そういう風に盃をさしだすの」

「あっ」

知子は咽喉の奥で小さな声をあげ、空いた手で口を押えた。ふたりは同時にふき出した。

「そうなの、お酌してあげるんじゃなくて、してもらうんだわ。この癖つい、人の前でも出てしまう」

そんな話をする知子の顔は内側から輝いてきた。逢った時の暗鬱な翳《かげ》はおよそどこにも認められなくなっていた。涼太には、あのとっさの印象は、じぶんの目の誤りだったのかと思われさえした。

「お盃ならまだしも……」

知子は、テーブルごしに涼太に、首をすくめてみせた。

「時々、お茶碗までやっちゃうんだから」

「御飯を小杉さんによそわせるんですか」

さすがに涼太の声が高くなった。

「よそわせるんじゃない。よそいたがるのよ。慎は、あたしに出来るだけ何もさせまいとするの」

涼太の酔って青白んだ頰に、つと皮肉な影がさした。

「家でも、そうなのかな」

「え？」

知子は虚をつかれたような、きょとんとした表情をした。涼太は今度ははっきりと、

「小杉さん、あっちの奥さんの前でもそうなのかしらん」

といった。

「さあ、どうでしょう、そんなこと考えてみたこともないわ……」

そう答えた時、知子はすっかり忘れきっていたことを思いだした。

それはいつだったか、知子の友だちが、慎吾の妻の学校時代の親友と親しいことがわかった時のことだった。知子の友人は、慎吾の妻の親友から聞いた話として知子に伝えた。

「小杉さんの奥さんてね、今でも小杉さんに相当ないかれ方だってよ。たまに訪ねてきても、早く帰らなきゃ、小杉はおそば一つじぶんでとって食べられない人だからって、そわそわしてちっとも落つかないんだって。彼女もそいってたわ、小杉さんて、あれでなかなか世話のやける旦那さんらしいって……よ」

それを聞いた時、知子は言下に、

「そうかしら、だって慎は洗濯はじぶんの方があの人よりずっとうまいっていつか云ってたわよ。あの人のポーズじゃない？　そんなの」

と聞き流すふうをした。そして実際、それっきりそのことは忘れてもいた。

今、知子は意外な鮮明さで、ふいによみがえってきた友人の言葉をたしかめていた。ゆっくりした声でつぶやくように涼太へのことばをおぎなった。

「……そうねえ、もしかしたら……あっちでは、縦のもの横にもしないんじゃないかな」

「たぶん……ね」

涼太はうるんだ目で大胆にじっと知子の目を捕えにきた。そして声をひそめていった。

「あなたは、今日電話でとても情ない声してましたよ、泣いていたのかと思った」

「まさか……お正月から……」

知子は慎吾に、涼太とすごした時間のすべてを告げようとした時、とりたてて「話」になる何もないような気がした。

「何となく愉快だったわ、楽しかったわ」

気がつくと、そんな抽象的な同じことばばかりを繰りかえしていた。

酒場では涼太とおびただしい会話をしたように思うのに、思い出してみると、どれ一つ、慎吾に話せるような筋の通った話もなかった。

慎吾に話すほどのこともない話題というのは、知子にとっても、さして重大な意味がなかったのだとも思われた。この時知子は、日常、慎吾に話す話題のほとんどが、無意味なことなのをすっかり忘れていた。

話以外の何がそれほど、涼太との時間をにぎやかに楽しくしたかを、慎吾に説明しようとしかけ、知子はあわただしく涼太との時間を反芻《はんすう》した。

知子は漸く、慎吾に告げる話題がみつかったように、声を落した。

「あのね、基礎代謝マイナス何十なんですって……でも、帰りいっしょに車に乗ったんだけど、まるで植物的なの、男を感じないのよ。そんなことって、ある？」

「栄養失調なんじゃないかい」

それから知子と涼太は時々町で逢うようになった。いつも慎吾が海辺の妻の家へ帰っている間だった。

つぶれそうな三流広告代理店に籍を置いている涼太は、いつでも知子の電話で、どこへでも出むいてきた。

知子は涼太を、慎吾のいる時に家にも招《よ》び、ひきあわせてもおいた。

けれども最初の涼太との出逢いに、慎吾に話す何もないと感じたように、その後の涼太との時間の会話も、知子はほとんど慎吾に告げることがないように思った。

話題のほとんどは、二人だけに共通な過去についてか、それよりもより多く、慎吾について語られていたのだ。

知子はこれまで、慎吾を客観的に眺めてみたこともなかった。慎吾は知子の肉体の一部であり精神の双生児だった。

涼太が、はじめて、青白い頬に、あるかなしかの皮肉な微笑を浮べて、

「さあどうかな？」

と、知子の語る慎吾の言動に懐疑的な、或いは否定的な疑問をなげてくると、その度知子は、

じぶんでは視点がとどかず見ることの出来ない首のうしろや顎の下のほくろでも指摘されたような、愕きと発見を感じるのだった。

知子は時々、涼太といながらことばを忘れ、じぶんの中にとけこんでいる慎吾を、はじめての人間を見るように、不安と不気味さのまじった目つきで、のぞきこんでいるようになった。

知子は最初から慎吾をまるでじぶんの正常な夫のような扱いで涼太の前に立ったから、涼太といくら慎吾の噂をしていても、やましい気持を抱かなかった。

それよりも、逢う度、はっきりしてくる現在の涼太の生活の荒廃と、精神の無気力で虚無的な姿勢が気がかりでならなくなっていた。それが、八年前、慎吾と逢いそめた頃、慎吾の身辺に濃い霧のようにたちまよっていた、目を離せば今にも死にそうな絶望的な危機感に、次第にしばりつけられ、ぬきさしならぬ関係に縛りつけられていった過程に、似ていることに、知子は気づいていなかった。

無鉄砲で衝動的な知子は、いつでも小さな体内に活力があふれていて、生命力の萎《な》えた、人間の分量が足りないように見える男に出逢うと、無意識のうちに、その男の昏《くら》い空洞を充たそうと、知子の活力はそこへむかってなだれこみたがる。いつでも知子の牽《ひ》かれる男や愛の対象になる相手は、生活も華やいでいず、萎えたような運命に無気力に漂っている敗残者とか脱落者とかにかぎられていた。それは知子の愛の宿命というよりも、佐山の妻の座をなげうった瞬間から、知子が背負わなければならなくなった十字架かもしれなかった。

男の生命の分量を過不足なくおぎなおうとする時、それはもうじぶんの内部では愛が熟れ落ちようとしているということわりを、知子はいっこうに自覚しない。慎吾にそそいでいる人一倍過剰な愛の分量が、慎吾の妻が占めている分量だけ、知子の内部であふれ、今、それが涼太へ向けられているという、単純な経緯をも知子は納得していない。

その夜も涼太と街で逢い、夜更けの道を知子は涼太に送られて帰って来ていた。

知子の下宿の路地の入口で涼太はいつでも引きかえしていく。いつものように涼太がそこで立ち止り、星明りに知子の瞳をのぞきこむようなみつめ方をして、

「じゃ、おやすみなさい」

と、身をひるがえそうとした時だった。知子が低い、ため息のような声で聞いた。

「あなたは、どんなお部屋に寝てるの？　これから、どんなふとんにくるまって寝るの？」

涼太が見おろすと、涼太を見上げた知子の両の目から、きらきら涙がもり上り、それはとめどもなくあふれ、まるい頬をぬらしていた。

だらりと両手を垂れ、知子は苦痛に身を縛られたようなぎこちない姿勢で、そこに棒のように立っていた。そのままの姿勢で、身を震わせながら、知子の声は急にしどろもどろに乱れてきた。

「ごめんなさい……ごめんなさい……あなたをこんなにしてしまって……あなたはあんなに若かったのに……若かったのに……」

声は嗚咽《おえつ》にとぎれとぎれになり、確かには聞きとれないほどだった。

知子はその時も、じぶんが涼太に愛の告白をしているなどとは考えてもいなかった。

涼太の腕が知子を支え、やがて、その背をひきよせても、知子は涼太の胸の中でうわごとのようにあやまりつづけていた。

昔、涼太を愛しはじめたと思った時、涼太と手もとりかわさないうちに、知子は、夫に涼太への愛を打ちあけてしまった。

「もう何かあったのか、二人の間で」

そのことだけを聞きただそうとする佐山にむかって、若い知子はじれて泣いた。

接吻も交わしていない涼太への愛を、佐山が非現実なものとして、取りあげず、わけ知りのように、うやむやにとり静めようとするのに対し、知子は身悶《もだ》えして口惜《くや》しがった。

その時知子にとって、愛は抽象的な輝かしい精神の貴族であって、肉慾はその前では、不様な道化にすぎなかった。心で愛してしまったということが、当時の知子にとっては取りかえしのつかない動かし難い厳然とした「事件」であったのだ。

今、知子は涼太の肉慾をみたした床の中で、涼太の感動を押し殺した声を聞いていた。

「ありがとう……あなたがこんなに愛してくれていたとは思っていなかった……」

暗い路地の闇の中で、十二年ぶりに唇を合わした時も、肉慾をわけあった今も、ふたりとも酒に酔っていたわけではなかった。

涼太とのはかない昔の肉体の記憶が、知子の中には何ひとつ残っていなかったことを、知子は今、気づいていた。

涼太の掌がまだ、愛をこめて知子の軀に憩いたがるのを許しながら、知子は涼太のことばを受けとめかねていた。涼太の指にふたたび呼びもどされてくる肉の奥からの海鳴りの響きに、自分をゆだねながら、涼太のことばの語った涼太の今の感動のあり場所に、苛だたしい異和感を覚えていた。

知子の生命の余剰で涼太の空洞をみたし、知子の瑞々《みずみず》しさで涼太の細胞に活力とうるおいを与えることで、知子はじぶんから何ひとつ失われたとは感じていない。

肉の快楽をわけあったということで、漸く知子の愛を確かめたと思っているらしい涼太の心の動きが、知子にはもどかしい。

涼太の口にする愛と、知子の今、漠然と抱いている愛の相とが重なりあわない。

「どうしてこうなんだろうなあ、ぼくたちは……。またはじまってしまった」

涼太がため息といっしょにはきだして知子の胸に頭を落してきた時、知子は、じぶんの内部で何かが今終ったような森閑とした気配を感じていた。

いつのまにか知子は、慎吾が妻とじぶんの間を規則正しく往復する軌道に合わせ、じぶんもまた涼太と慎吾の間を揺れ動いていた。

慎吾が妻の許へ帰るのを待ちかねたように、涼太との時間がはじまる。

明かされてみると、涼太の下宿は、知子のところから意外な近さだった。

涼太は知子の生命を吸い尽そうとでもするように、貪婪《どんらん》に知子をむさぼった。

その度涼太の体は瑞々しさをとりもどし、活力がどこからかよみがえってきた。老人のようにくすんで動かなくなっていた表情は年齢を呼びもどした。

知子といる時、涼太はよく声をあげて笑うようになった。

こういう涼太を見たかったのだと、知子が涼太の変貌に気づいた時、涼太はもう知子の生活の歯車にがっちりと嚙《か》み合って離れなかった。

涼太が若さと精気を取りもどすにつれ、涼太の部屋での二人の時間は濃密に輝き、時がすさまじい速さで快楽の間をすべっていった。

気がつくと、深夜だったり、時にはもう翌朝の気配が、戸外の闇の中にひそまっていたりする。

「大丈夫？　歩ける？」

涼太は、知子の足元の不確かさをいたわりながら、そんな時こそ、知子の強い愛の確証を握っているという、落着いたみちたりた表情をしていた。

深夜の邸町に、二人の足音を聞きつけると、必ず、庭の奥からけたたましく吠《ほ》えたてる犬がいた。

犬の嫌いな知子はその家の前を、どんなに疲れている時でも、息をひそめ、涼太の手にしがみつき、息もせず駆けぬける。

知子が犬の関所と呼んでいるその横町をすぎれば、もう知子の家の方が近かった。

「いつまで、こんなことつづけるつもりなの」

涼太が、駆けぬけてきた呼吸を立ちどまってととのえ、こぶしで胸をとんとん叩いている知子をみて低く云った。

知子ははっと涼太の顔を見上げた。さっきまでの自信にみちた和《なご》んだ表情はなく、眉を昏《くら》く凝らせ、涼太の顔はむしろ陰惨な影をはいていた。

「こんなことが、小杉さんに内証でいつまでもつづけられると思ってるの」

知子は涼太の目から目をそらせながら、曖昧《あいまい》な表情をして、じぶんの家の方をふりかえった。

慎吾は今夜、そこにいる筈がないのに、不意に、そこに慎吾が何かの事情で予定より早く来て、じっと背をまるめ、じぶんの帰りを待っているような幻影を見た。

声に出したい恐怖が知子の背をかすめた。

脂汗がじっとりと脇に滲《にじ》んできた。

今もまだ、慎吾を愛しつづけていると思っている知子は、慎吾にも、涼太にも説明しようもなく、理解してもらいようもない、自分のこんな行為の行末を思うと、ほとんど絶望的になった。

涼太を失っても、慎吾を失う生活は考えられなかった。

「あなたはどうして、じぶんの愛情にそんなに自信が持てないのかなあ」

涼太の、ほとんど、嘆息しているような声が、なお昏く、知子の耳もとでつづいていた。

知子はもう、この真暗な道の途中でもいいから、一刻も早く涼太から解放されたくなっていた。

涼太が、愛を口にする度、知子は説明しようのない異和感で、心がざらついた。

た。

「聞いてるのか」

突然、涼太の声が鋭くなった。

知子は、まるで喧嘩を買う機会を待っていたように、涼太よりも鋭い甲高《かん》い声をほとばしらせた。

「帰ってよ！　ひとりにしてよ！　疲れてるんだから」

「勝手にしろ！」

手をふりあげないのが辛うじての努力のように、涼太は夜目にもわかるほど、躯をおののかせ、さっと知子に背をむけた。

涼太と知子が反対の方向にむかって駆け出したのが同時だった。

慎吾は、一向にそんな知子の裏切りに気づいたふうもなく、相変らず、八年間の習慣通り、妻の許から知子の部屋に通いつづけた。

知子は、まるで空気のようにじぶんをつつんでいる馴れきった慎吾の気配に浸っていると、慎吾の留守に、涼太とわけもつ時間の濃密さが、信じられないような気持になる。

いったい慎吾は八年間、じぶんの不在の時の、妻の貞操も、知子の貞操も一度も疑ったことがないのだろうか。

知子は、はじめて不気味な怪獣をみるように、慎吾の静かな、一見深刻そうに見える彫りの深い横顔に、まじまじ目をあてていた。

「どうした」

　慎吾がふりかえって、おだやかな声で聞いた。

「ううん、ひょっと考えてみたの、あたしたち、どうしてこんな長い間、嫉《や》きもちって嫉いたことないのかしら」

「嫉いてるさ」

「誰が、いつ」

「俺は年中、嫉いてる。いつだって心配で心配で安心したことなんかないよ」

「うそ！」

「うそじゃないさ、だから来るんだ」

　知子は思わずふきだしていた。

「知子だって嫉くよ」

「あら、いつ嫉いた」

「いつでも、何度もそういうことあったさ、ただ、お前はすぐ忘れてるだけだ」

　確信ありげに慎吾に断言されると、知子は、いつでも慎吾の逢ったことのない妻に、絶え間ない嫉妬《しっと》を感じていたのかもしれないという気持にさえなった。

　子供のころ、絵本でみた石童丸物語のさし絵が、知子の目にぼんやり浮んできた。仲よく碁を打っている二人の女の髪の毛が無数の蛇になって逆だち、からみあい争っている不気味な図が、障子の影になってくっきりと映っているさし絵であった。子供心にも人間の妬心の怖ろしさが骨身にしみ、知子は深い脅《おび》えを感じた。今、慎吾にじぶんの妬心を指摘されてみると、思いだしたこともなかったあの絵のように、じぶんの頭からは、いつも目に見えない無数の蛇が、毒気を吐きながら、慎吾の妻の方にむかって、鎌首をのばしていたのかもしれないとぞっとしてきた。

いつでもこういうふうに、慎吾のかける暗示にかかって、慎吾との生活がつづいてきたのかもしれないと、知子は珍しく、茫々と霞んでいる慎吾との歳月を見きわめるような目つきになっていた。

いつかは、涼太が、慎吾とじぶんのこの陽だまりのような、ものなつかしい静謐《せいひつ》を破りにくる日があるだろうと、知子は感じていた。

その瞬間を空想する時、覚悟というよりも、むしろ、すがすがしいほどの絶望感が横たわっていた。

すべてが涼太の手で慎吾の前にあばきだされた時、知子はふっと、慎吾が、どんな事実をつきつけられても、じぶんの慎吾への、この奇妙に確乎とした愛だけは、信じてくれるのではないだろうかという空想に捕えられてくる。

現実にはあり得ないそんな愛の奇蹟の顕現を夢みる時、知子はどんな時よりも、慎吾の生にじぶんのそれがぴったりとうち重なっているという充実感を味わっていた。

そんな静謐の中で慎吾とむかいあい食卓をかこんでいる夕、知子は突然、ぼろぼろと涙をこぼしはじめた。

涼太は、今夜どんなわびしい食堂の片すみで、どんな貧しい食事の箸をとっているだろうかという空想が、知子の頭にしのびいったのだ。二人でいてさえ、活字を見ながらでないと物を食べなくなっている涼太の、侘《わび》しい独身生活の習慣が、ふいに、云いようもないあわれさになって、知子の胸にあふれてきた。

こんな時、決してじぶんから知子のことばをうながさない慎吾は、だまって、知子の湯のみに茶をつぎたしてやった。

茶碗の中の御飯の上にひとしきり涙をこぼしたあとで、知子はそっと、箸を置いた。慎吾に今の涙の説明をしなければいけないと思った。泣きじゃくりをひとつして、知子は、云った。

「涼太が、どんな御飯のたべ方してるかと思って」

「……しばらく来ないな、会社つぶれてるんじゃないかね」

涙をのみくだして知子は、そうねえと、普通の声にかえり、再び箸をとりあげた。

どんな波紋も慎吾という巌《いわお》だけは、さけてひろがるのであろうかと思いながら、箸をのばした。

夏の終り

横浜の港には、雨雲が低く垂れこめていた。

風はなく、目に捕えがたいほどの七月の霖雨《りんう》が、海にも街にも煙っていた。風景はやわらかく滲《にじ》み、スーラーの絵であった。

ソ連航路のモジャイスキー号は、白い巨《おお》きな船腹に朝の雨をしめらせて、ゆったりと南桟橋に入っていく。

一カ月のソビエトの観光旅行から帰ってきた知子は、甲板の手摺に軀《からだ》を押しつけて身じろぎもしない。切迫した不安と恐怖で心が重苦しく凝っていた。出迎えの人群の中に慎吾の姿が見えなければ、慎吾は死んでいるのだという妄想が、旅が終りに近づくにつれ知子の心の中で影を濃くしていた。

レニングラードの白夜の暁方《あけがた》に見た不吉な悪夢が、ずっと知子の頭に焼きついている。たいていの夢とは反対に、その夢は日がたつにつれ鮮明度をました。気味の悪いほどのなまなましさで、それは知子を悩ましつづけてきた。

夢の中で、知子は慎吾の妻に慎吾の死を告げられたのだ。じぶんの泣き声で目をさました時には、頬も枕もぐっしょり濡れていた。目がさめてからもしばらく、夢のつづきの泣きじゃくりが止らなかった。

八年間、まだ一度も逢ったことも声を聞いたこともない慎吾の妻は、夢の中では、灰色の地味なスーツを着ていた。タイトのスカートの下できちんと両膝を折りまげて坐っていた。絵でみる幽霊のような角度に顔をうつむかせている。顔のまわりには濃い影が霧のようにたちまよっていた。強いてのぞくとその顔は目も鼻もないのっぺらぼうなのが夢の中の知子にはわかっていて、首筋に束ねた古風な髷《まげ》にばかり、わざと目を注いでいた。たしか、長い髪はうるさいといって、ショートカットにしたと、いつか慎吾がいっていた筈だがなどと、知子はぼんやり考えていた。うつむいたまま、妻は妙に自信にみちた声で切口上にいった。

「小杉は死にました。それで、本の整理をしたいのですが、まとめてあなたにひきとっていただけるかと、うかがったのです」

夢だとわかってからも、知子は慎吾の死を聞かされたショックからすぐにはたちなおれなかった。動悸が激しくうち、脂汗がべっとり滲みでた。

慎吾が死ねば、じぶんはこんなに悲しかったのかと、知子はじぶんの嘆きの深さに搏《う》たれて、あらためて涙がせぐりあげてきた。

暁方の夢は正夢だという迷信が思いだされた。女学生時代、親友が夏休みの間に急死した時、夢でその時刻に知らされた経験が、急になまなましく思いだされてくる。一方、知子を誰よりも可愛がっていた母が防空壕で焼け死んだのを、北京にいた知子は夢にも知らず、故郷に引揚げるまで、一年以上も、死んだ母が知子の胸では生きつづけていた事実を思いだして、不吉な前例をあわてて打消そうとしたりした。

カーテンを引くと、外は白夜の真夜中よりいくらか明るさをました夜明けの透明な光がさしそめていた。ホテルの前のイサキエフ寺院の広場の真中のベンチで、恋人どうしが抱きあい身じろぎもせず接吻していた。一番電車を待つ人々が、寺院の前で数人ぼんやりたたずんでいた。油絵めいたエキゾチックなその風景は、いっそう慎吾とのはるかな距離を思わせ、知子の心に不安とおびえをかりたててくる。昨夜は一時すぎまで白夜のネヴァ河でヴァラライカを弾いて踊ったり歌ったりしている若者たちを見て歩き疲れたせいの夢だと、考えようとしてもだめだった。

スプートニクを飛ばしている一方、航空便が二ヵ月もかかって日本へ着くような奇妙な文明国のソ連内からは、安否のききようもなかった。たとえもし、聞けたとしても、慎吾の妻へ、それができる義理あいの知子の立場でもなかった。

昼間は盛沢山の目まぐるしいスケジュールに追いたてられ、どうにかまぎれていた。ベッドに入る時になると夢の恐怖は毎晩執拗《しつよう》によみがえってくる。

異常なほど、知子がその夢にこだわるのは、日頃の知子と慎吾の結びつきによっていた。

八年間、知子は目を離せば慎吾が死にそうな不安につきまとわれ、その危機感にいつでも脅かされてきたのだ。売れない小説を書きつづけ五十歳まで芽も出ない慎吾には、死にたくなる原因がいくつでも取りまいていた。知子の部屋でも何度か自殺しかけた慎吾を、知子は危く発見した。二人で死を計画したこともないではなかった。慎吾を死なせないために、知子は八年間、気をはりつめて生きてきたような形であった。そのためにも慎吾にはじぶんが必要なのだという気負いもあった。

やがて知子には、罰が当ったのだという考えが、不安のしめくくりのように浮んでくるようになった。知子の考えの中では、罰は、慎吾の妻から八年間夫をかすめていたという不徳義に対してではなかった。涼太のことでこの半年余り慎吾を裏切っているということの怖れであった。

解決のつかない不安の中で、いつの間にか、知子は、もしも慎吾が無事に生きて迎えてくれたら、その時こそ慎吾と別れようという飛躍した結論をだしていた。信仰のない知子は、こんな時、やみくもに、神や仏や、ありとあらゆる御利益のありそうな幻影に祈って誓う気持だった。慎吾の妻にさえ誓った。

何か、じぶんの犠牲で、慎吾の命があがなえるなら、一番辛い慎吾と別れることを犠牲に捧げるべきだと知子は考えたのだ。罰の原因に当る涼太と別れることよりも、慎吾と別れることがそれほど辛かったのかと、知子はようやくじぶんの心の本音を探りあてた気がした。すると涼太に対して、裏切っているようなうしろめたさと、不憫《ふびん》さがこみあげていた。同事にこんな切ない犠牲を強いられるのも涼太のせいではないかという、うらめしさと憎しみもそれにからみついてくるのであった。

船が近づくにつれ、南桟橋の倉庫の前に長く並んだ出迎えの人群の傘の色が鮮やかになった。向うでも甲板の人影が見えはじめたのか、その色がゆらぎはじめた。

知子はその時、押えきれず、ああっと声にだしてしまった。人群の端の方に、傘もささず、真直ぐ突っ立っている慎吾の姿をみとめたのだ。棒のようで、目鼻もわからぬ遠さからでも、見なれた紺の背広の慎吾の軀ぐせを、見まちがえる筈はなかった。安堵と、感謝で震えてきた。涙があふれてきたので、あわてて人群から離れた。のび上って手をふると、慎吾より先に横によりそっていたベージュ色の服の人影の方が手をあげてこたえた。涼太にちがいなかった。出発の時も知子はそうして二人の男に並んで送られたのであった。

知子が最初に投げたテープが、二人からひどく離れた場所にとんだのを、涼太が敏捷《びんしょう》に駆けていって拾いあげ、慎吾に握らせた光景が、昨日のようにありありと浮んでくる。あれから丁度一カ月がすぎていた。背の高い慎吾と並ぶと、涼太は慎吾の口のあたりまでしかなかった。ぴったりとよりそった二人の男は、遠目には兄弟か親友のように見える。遠目にも涼太の若さが映った。

船は休みなく進み、二人の男の顔がしだいに明らかになってきた。知子の胸からすべての感情が消え、ただ懐《なつか》しさだけが熱くたぎりながらほとばしってきた。今、この世でいちばんじぶんを愛してくれている二人の男が、そこでじぶんの上陸を待ちかねているという嬉しさだけが、単純に心を一いろに染めあげていく。

顔が見えはじめてから岸壁に船がつくまでの意外に長い時間を、足ぶみするような気持で知子は全身のそぶりに想いをこめ、二人の男を見つめていた。その時にはもう、二人とも等分に懐しかった。

上陸して、慎吾の長い指先で頭を軽く、たしかめるように叩かれた時、知子ははじめて声をだして明るく笑った。慎吾の生死を案じつづけてきたこの半月ほどの悶えが、急にこっけいなものに思えた。目の前にいる慎吾も涼太も一ヵ月前と何の変りもなかった。

慎吾が笑いながらいった。

「昨夜から二人で横浜に泊りこみだ」

「どうして」

知子は二人の顔をあわただしく見くらべた。

「今朝七時に船が着くというんだろ、とてもそんな早く来られたものじゃないよ。昨夜から来て、二人で呑み歩いて、変な温泉マークみたいな宿で泊ったよ。ねえ」

慎吾にふりかえられて、涼太は三人の時はいつもそうするくせの、ひかえめな態度で目だけで笑ってうなずいた。知子が涼太を見つめると、薄い皮膚に目に立つほど血を上らせながら、凄《すご》いなあ、真黒になってといった。それは慎吾にむかっていったようにも聞えた。

涼太は昔、知子が夫と離婚する原因になった年下の恋人であった。稚純な二人の恋は周囲を傷だらけにした上、夫の予言通り、半年も持ちこたえられず惨《みじ》めな破局になった。南の島で結婚したと聞く涼太と、知子は十年余りも逢わなかったが、涼太の結婚も失敗して、上京して以来、知子との再会があった。

知子のそばにはすでに慎吾がいた。慎吾は涼太と知子の過去は、はじめから聞かされていたが、じぶんに似てどこか無気力な感じのする、ひかえめな態度のおとなしい男に、最初から好意を示していた。

知子との恋の季節が、あっけないほど短かかったわりに、知子の本質を見ぬいている点では、じぶんにつぐ男だなど、知子に話したりしていた。

知子に関しては、八年間のじぶんとの生活の貞淑さから、全く安心しきっていた。慎吾が妻の家に帰っている時、涼太と知子がしげしげ逢いはじめていることも、知子のあけっぴろげな報告でみんな承知しているつもりであった。知子の報告にいつからか秘密がかくされはじめたのには、一向に気づいていなかった。ものを書く男のくせに、慎吾には人の心の裏を疑ってかかり、かんぐってみるというところが全くなかった。それを知子は慎吾の育ちのよさの鷹揚《おうよう》さだとかばい、涼太は本質的に自分の事しか考えない利己主義のあらわれだときめつけていた。

他人の情事などにはかんのいい慎吾が、不気味なくらい二人の秘密には盲になりつづけていた。

税関の事務で待たされているひまに、涼太の姿が見えなくなった。知子は向うの建物の売店で煙草を買っている涼太の後姿を見つけた。ジュースをのんでくると慎吾につげ、その傍を離れた。

建物のかげで海に向って煙草に火をつけている涼太の横顔には、さっきまでの明るさはなく、知子の見なれた、癇癖《かんぺき》の強い感情を押し殺した神経質な昏《くら》い表情が滲んでいた。

「あの桃がたべたい」

知子の声に目をあげた涼太の顔に、燈がともったように明るさがうごいた。口の煙草をすぐ知子にさしだしておいて、身をひるがえして売店の方へかけていった。

掌にあまるような瑞々しい水蜜桃を買ってきた涼太は、知子に渡しながら、しばらく知子の掌を息をのむようにして押えていた。涼太の心のたかぶりが、知子の掌から軀の芯にながれこんだ。涼太のことを旅の間中、どうしてあれほどきれいに忘れられていたのだろうと、知子は不思議な気がしてきた。

桃は掌にたっぷりと重く、柔毛《にこげ》につつまれた肌は繊細なやわらかさだった。むくと、あたりに甘い果汁の匂いがゆたかにただよった。夏の日本にいるという感懐が軀のすみずみまでしみわたった。しゃがんで、果汁の音をたててなめらかな果肉に歯をすべりこませながら、知子はかばうようにたたずんでいる涼太を見上げた。

「おいしい?」

だまってうなずいて、知子はじぶんが今、甘えた表情になっていると思った。涼太が吐息をはきだすようにいった。

「生きていてよかったなあ」

「ええ?」

「まるでわからないんだもの、あなたが生きているのか死んでいるのかさっぱり。たまらなかった。不安であんなやりきれないことってない。今度行くなら、電話の通じる文明国にいってほしいな」

「だって……いって来いってすすめたのはあなたじゃない」

「それはそうだけど、一ヵ月くらい、ぼくらの関係からぬけだしてみたところで、あなたって人は決して変らない人なんだ」

涼太の口調もいうことも、一ヵ月前と全く変っていないと知子は思った。

「おかしな話だ。あなたの留守中、小杉さんから何度も呼出されてよく二人で酒をのんだ。あなたがなつかしくなると、小杉さんはぼくを相手にするのが一番気持が安らぐんだな。全くおかしな話さ。ぼくもあなたがなつかしくてたまらなくなると小杉さんを呼出している」

税関の荷物検査が始まった。あわてて知子は涼太から離れた。

涼太はその日、慎吾に頼まれて、横浜から東京までの車を友人から借りてきていた。

運転台の涼太のすがすがしいそりたての衿《えり》あしをみつめながら、知子は慎吾と後ろのシートにゆられていた。慎吾の体臭と涼太の体臭がせまい車内にまざりあってこもってきた。沈黙を破るのがじぶんの義務のように、知子はとめどもなく旅の話をしゃべりつづけた。

慎吾と別れなければと気負いこんだ決心は、もうとうに鈍っていた。二人の男の間で右往左往していた出発前の浅ましいじぶんの醜態が、これからまた永久につづくような気がして疲労がどっと感じられてきた。そのくせ、二人の『じぶんの男』に護られているこの小さな車の中がまたとない安息所のように、うっとり心が和んでもいた。

「ほんとうに黒くなりましたね」

涼太が思いだしたように咽喉を鳴らして笑った。

「すぐなおるさ」

慎吾が、かばうようにいった。

涼太と別れ、慎吾と二人で知子の下宿に帰ってくると、畳が新しくなっていた。大家が留守に替えてくれたのだと慎吾がいった。襖《ふすま》も張り替えてあった。

知子の仕事机には、留守中の郵便物や仕事のメモが一目でわかるように整理されていた。慎吾のしたことだつた。知子は夫と離婚した後、娘時代女子美術学校で覚えた染色に打ちこみ、どうやら仕事に追われるほどになっていた。

聞かなくても知子の留守中も、慎吾は海辺の妻の家と知子の部屋を、一週間を二分して、規則正しく電気仕掛けの振子のように往来していたのがわかった。八年間決して変えたことのない慎吾の習慣であった。

来る日も帰る日も、めったなことで慎吾は予定を狂わせない。どっちの家を出る時も、靴をはきながらひとりごとのように、

「××日に帰る」

という。それが出がけの挨拶であった。何かの都合で予定の狂う時はどっちの女にも、こまめに前もって変更をしらせる。いつのまにか、知子の机の横には慎吾用の仕事机が並び、知子の部屋は、慎吾の『東京の仕事部屋』の役割も果していた。

知子はこれまで、慎吾と別れたあとの自分の姿など想像したこともなかった。八年の間、ただの一度も、慎吾と妻の別れる場合を空想したり、願ったりしたことがないのと同時に、じぶんが慎吾と別れなければならないと本気で考えてみたこともなかった。それは、慎吾には秘密で、涼太との関係が思わぬ深みにはいりこんでしまってからでも同様であった。

知子にとってこの一年近い月日、別れなければならないと、背中をあぶられているような気持にかりたてられていたのは、慎吾とではなく、むしろ涼太とのことであった。

知子は慎吾に涼太のことが発覚する瞬間を想像すると息が止りそうに怖ろしかった。激情にかられた涼太が、何時、どんな形でふいに慎吾にすべてをぶちまけるかもしれないと思うと、涼太から一刻も目が放せないような気がして、いっそうずるずる深みにおちこんでいった。

三十でめぐりあった妻のある慎吾に、涼太があらわれるまでの八年間、妻同様の貞潔をたて通していた。心の上でさえ、かりそめの不貞めいたものも働いたことはなかった。

慎吾が海辺の妻の家に帰っている間は、知子はまるで、出張中の夫の留守を守る妻のような身の処し方をしていた。じぶんの判断で何かを取りきめなければならないような時、

「宅に相談しまして」

と世間の妻のように口にこそ出していわなかったが、一から十まで慎吾が望み、慎吾が好むような処置を取っていた。

慎吾の留守に一人でした経験のすべてを、慎吾の顔を見るなり息せききって告げ、一つのこらず話してしまうと、はじめてそれらの経験がじぶんの中に定着するのを感じた。無口で非社交的で、経済力のない、世間の目からみれば頼りない男の典型のような慎吾に、知子は全身の鍵をあずけきったようなもたれかただった。

慎吾が知子の部屋に来ている時、かえって知子は安心して外出がちになった。

外から帰ってきた知子は玄関に出迎えてくれる慎吾を見上げた瞬間、やっと帰ってきたという

実感をもった。走りこんできた息の弾《はず》ませかたのまま、知子はせかせかとハンドバッグや包みを慎吾に押しつける。慎吾が大きな目に包みこむような微笑をみなぎらせ、低い声で、

「ほら、ほら」

とうながすと、知子は咽喉をくくっと鳴らし、慎吾の横をすりぬける。子供のようににぎやかな足音をたてて、玄関脇のトイレにとびこんでいくのだった。外出先で用をたしたがらない癖のある知子は、

「慎の顔をみたとたん、全身の緊張がゆるむのよ」

と首をすくめてみせた。

慎吾がいるのも忘れたように、一心に彫っていた染色の型紙の上から、ふっと顔をあげると、寝ころんで本を読んでいる慎吾を気ぜわしくふりかえり、

「ねえ、あたし今月、いつ?」

じぶんの生理の日まで慎吾にあずけていた。

知子がどんなにあわてて外出しても、出先で、ハンドバッグの中に、洗いあげ、アイロンのかかったハンカチ二三枚と、たっぷりのちり紙を見出さないことはなかった。小銭入れにはいつでも車代になる銀貨や銅貨が程よく入っていた。買物のレシートや、使用ずみのメモのきれっぱしなどは、いつのまにかきれいに消えていた。その中には、ぞんざいな知子よりも慎吾の細かな神経がゆきわたっていた。

慎吾と離れたどこにいても、知子はじぶんの軀に無数の糸がつけられていて、その端はしっか

りと慎吾の掌の中に握られている感じがしていた。いくぶんの不自由さと、たまには軽い抵抗を感じながらも、知子は人形遣いにあやつられている人形の、無責任な安心感を持ち、かえってのびのびと、おおらかにふるまえた。

夜になると新しい畳がよく匂った。日向《ひなた》くさいその匂いは寝床のまわりにはかくべつ濃くよどんでいた。

「疲れただろう……よく帰ってきたね」

慎吾は胸におしあてている知子の顔を仰むかせ唇をあててきた。知子の涙が、慎吾のやせた肋骨《ろっこつ》のういた胸をしめらせていた。

この一年ほど知子はよく慎吾の胸の上でこんな泣き方をした。声もたてず、身動きもせず、ひっそりと慎吾の肋《あばら》を濡らした。いつの時でもじぶんから何かをききだそうとしたことのない慎吾は、だまって知子の髪や裸の背をなでる。性慾のこもらない、ただ優しさだけのこもったそんな愛撫《あいぶ》が、知子の心の波をしだいになごめていく。

知子はそんな時、たいてい瞼の中に涼太を描いていた。どこかの安酒場で酒を呑んでいる涼太、深夜の町をただやみくもにタクシーでかけまわっている涼太、何もない殺風景な下宿でふとんも敷かず、丸太ん棒のようにころがっている涼太、深夜の洗面台のすみでぼそぼそ靴下を洗っている涼太……もしかしたら今、この家のまわりをぐるぐる歩きまわっているかもしれない涼太……そんな惨めな涼太の孤独な姿が、慎吾の胸の中で安らいでいる時、身をきられるような切実な不憫さで知子をゆさぶってくるのだった。涼太と肉慾をわけあっている時以上に、そんな時、知子は涼太に愛を感じていた。性慾さえ昇華してしまったような慎吾との夜の時間の、浄福ともよびたいような安らぎは、決して涼太に理解させることが出来ないし、涼太が理解しようともしないだろうことが、知子にはもどかしい。

いつからか慎吾は知子をいたわって二人の間で性の匂いが薄れていた。この二三年で急に知子の染色の仕事が軌道に乗り、有力なスポンサーがついたり、染色だけでなく、装幀の仕事や室内装飾を頼まれたりするようになって、あまり丈夫ではない知子には過剰な仕事がいつでもおいかぶさっていた。

夜になると、板のように張った背中を見栄も気どりもなく慎吾にもませて、

「疲れたの……むこうでしてよ」

と慎吾の胸にもぐりこむようにして眠りこんでしまう。

慎吾は知子の部屋で机にしがみついて、売れても売れなくても小説を書きつづける。

銭湯の嫌いな慎吾は、内風呂のない知子のところでは、何日長びいても風呂に入らない。仕事で憔悴《しょうすい》し、垢で汚れた慎吾がいくばくかの金を手にすると、妻のところへそっくり運びに帰る。海辺の家から帰ってくる慎吾は、妻の許で風呂に入り、休息し、頬もふっくらと出たさわやかな男ぶりになり、情交の匂いさえただよわせている。

抱きよせられて、

「今朝してきたんでしょ」

知子は慎吾の胸をおしながら、

「匂いでわかる」

皮肉や嫉妬でいっているのでもなかった。

そんな知子に慎吾は無理強いせず、知子の部屋にいる時は、年より強いじぶんの慾望はそれとなく処理していた。そういう夜が習慣になった。性が薄れてかえって二人の間には、前にもましてこまやかな愛情が通うような気がしていた。

涼太との秘密を持ってしまってからは、いっそう知子には慎吾とのプラトニックな愛が稀有《けう》なもののように大切に思われてきた。

性の中でしか知子を捕えているという実感と安心の得られない涼太に、知子は淫蕩《いんとう》なほど軀を与えながら、そのことでは慎吾にそれほど罪の意識は感じていない。知子の怯《おび》えは不貞の事実ではなく、秘密を持ってしまったという精神的な裏切りが、慎吾に知れることへの怖れであった。

「慎が死んだ夢みて怖かった。罰が当ったと思った。生きていたら別れますって誓いをたてたの」

「何に」

「ヤオヨロズの神やキリストやオシャカサマやチミモウリョウよ、あの人にも」

慎吾の妻の名前は二人の間では口に上せなかった。妻の名をいう必要のある時、慎吾は、そこだけをぬいてしゃべったし、知子は『あの人』とか『お宅の人』とかいってすましていた。

慎吾が妻の名を知子の前で云わないのは、知子の心を刺戟《しげき》しまいとする思いやりと同時に、より以上、妻へのいたわりがふくまれていることを、知子は知っていた。慎吾は妻の悪口めいたことは、一言も口にしなかった。

「でも考えてみたら、重大な問題だわ」

「何が」

「慎は、どっちで死ぬかわからない。むこうで死んだらあたし、お通夜にもお葬式にもゆけないでしょう。第一長い病気の時、お見舞にもいけないでしょう。死ぬところをみなければいつまでも死んだ気持ってしないものよ。あたしは母にも父にも死目にあえなかったから、とても変なの、今でもまだ二人が生きてるような気分に時々なるんだもの。もし、こっちで慎が死ねばどういうことになるのかしら？　あたし、あの人に電報打たなければならないのかな、自動車にのせて死骸をはこんでいくのかな」

「おれが一番先に死ぬって決ってないよ」

知子は声をたてて笑った。慎吾は口ぐせのように死にたがっている一方、栄養剤をのんだり、あんまにかかったり、ぜいたくな料理を人一倍とりたがるところがあった。

知子はふいに、告白の衝動にかられた。今ならすらすら、この調子で何でも打ちあけられそうな気がしてきた。そのくせ、口では、さぐりを入れるような言葉がでた。

「あの人がねえ、慎の留守によろめくかも知れないなんて、一度も考えない？」

話が突然飛躍する知子の癖には馴れているので、慎吾は驚かない。

「そんなこと、しないよ」

「へえ、わかるもんですか。あの人すてきなんでしょう。今みたいな状態だと、同情者があらわれないとも限らないじゃない」

「そんなこと、ないよ」

「ま、じゃ、あったと仮定して、そうしたら、どうする？」

「殺す」

「へえ、ずいぶん勝手ねえ。——あたしが……したら……」

「殺す」

知子は笑いだした。慎吾が妻を充分愛していることをさとらされるのは、初めてでなかったけれど、そうわかることは、告白するために気が楽にさせられることでもあった。

「罰の話だけど」

知子は同じ声の調子でいった。

「あの人のことだけではないのよ」

真剣さをかくして知子は、下から慎吾の顔を上目づかいに窺《うかが》った。慎吾はそんな知子の瞼を指先で閉ざし、頭をすくいこむようにかかえこんだ。

「今日は疲れてるんだろう。興奮しているよ。もう眠りなさい」

知子はくるっとからだをまるめ、慎吾の軀の中にもぐりこむように身をこすりつけた。

また云いそびれたと思う一方、まだ秘密がたもたれたと、軀中の細胞がほとびるような安堵にひたされてきた。急に激しい眠気におそわれながら、薄れた意識で、もうろうと思っていた。

慎吾は知っているのかもしれない。知っているのだ……知っているから聞こうとしなかったのだ、いつだってこの人は……。

慎吾は知子といっしょに歩いている時、道に動物の死骸とか、醜い嘔吐物《おうとぶつ》などがあると、目ざとく見つけ、

「見るんじゃないよ。あっち」

と教える。すると知子は子供のように目を閉じて、しっかりと慎吾の腕にすがり、顔をそむけて通りすぎた。知子にとっては、真向いになると痛い感情や苦い想い出も、慎吾が見せないでかばってくれる路上の汚物のように扱いはじめているのに気がついていない。たとえば、慎吾の妻や、慎吾の家も、慎吾の楯《たて》にかくれて、強いて見ないですましてきた。

二人の間では、最初から慎吾の妻は『公認の人』であった。同時に、慎吾は妻に、知子を『公認の女』として認めさせていた。

慎吾の妻が女子大出で、慎吾と同じ出版社につとめ、熱烈な恋愛結婚をしたということは、岡崎から聞かされていた。岡崎は慎吾と同じ町に住み、同じ文学サークルの仲間で、その雑誌のカットや表紙を画くこともある知子とも識っていた。

岡崎は小心そうな目をまたたかせながら、自分の恥でも打ちあけるように、そわそわと、訥弁《とつべん》でつづけた。

「要するにね……。ぼくは、そのう、どうってことないんだが……昨日、小杉の細君に町で逢ってね、魚屋の帰りだ。あの辺は、獲れたての鯵《あじ》がうまくて……歯がね、前歯が欠けてるんだ。小杉の女房のさ。そこに釘みたいなものが、こう、つき出てる。歯をつぐ時、そいつで結ぶやつ

さ、きみ、知らない？　ねじ釘みたいなもんだよ、そこまでは治療したが、そのあとが出来ないんだな、つまり……だから、そのままなんだ。それでいて、小杉は今日も東京ですのよ、御精が出ますでしょうって、細君がいうんだよ。きみい、わかる？　釘の出た前歯で……」

その話は、知子の心に鋭い痛みを招いた。

知子はその話をそっくりそのまま慎吾に伝えた。

「おせっかいな奴だ。いつだってあいつ、ピントはずれなんだ」

それっきりであった。慎吾の触れたがらない話題は、知子にも蓋をすべき穢《きたな》いものにすりかわっていた。知子は話題の中心を無意識に茶化している。

「慎は女運がいいのねえ、金はないけどやっぱり一種の女蕩《たら》しなのねえ」

慎吾は、そんな話になるといっそういきいきしてくる知子の顔を、照れた笑いで見守るだけであった。

最初のころ、知子は、慎吾への愛情が高まるにつれ、人並に嫉妬もあった。慎吾が指に家からしてきた白い繃帯《ほうたい》にさえ、心が刺された。好みのいい新しい靴下を慎吾の足元にみただけで、目の中がかっと燃え上った。それと同時にその頃は、クリーニングから帰った慎吾の服に赤糸でぬいつけられた知子の姓を、丹念に、かみそりでとって着せて帰すような心くばりも持っていた。まちがっても、知子の買った下着をきせて妻の許に帰すようなことはなかった。

今では知子の部屋の慎吾用の簞笥《たんす》の中は、もう妻の買ったものも知子の用意したものも、見わけもつかないくらいいりまじってつっこまれている。慎吾に、知子の姓の縫いつけられた洗濯物を平気で着せて帰していた。

時々、妻からの便りが、慎吾を追ってきた。急ぎの郵便物の廻送であったり、彼等の親戚《しんせき》間におこる義理づきあいの打合せであったりする。

白い封筒に記された、まるい、なげやりなペンのあとは、仲のいい夫婦によく見受けられる、奇妙なほど夫の字癖に似通ってしまった妻の字であった。

それは彼等が過してきた、歳月の重みと、彼等の生活の厚みを物語っていた。

そんな用のため知子の部屋から出かけていく慎吾のために、知子は新しい靴下や、洗濯したてのワイシャツを揃え、ネクタイを選ぶ。そんな時、知子は、慎吾をじぶんの愛人として装わせている意識よりも、慎吾の妻に対する一種の義務的な気持が強かった。

「ちゃんとして出さなきゃ、よその預り人だからね」

知子は冗談めかしていいながら、目つきは案外真剣に、慎吾の外出姿を点検する。それでいて、妻の許へ帰す慎吾に対しては、次第に投げやりになっていた。暗黙の共犯《なれあい》の中で保たれた関係は、歳月にさらされ、知子の心の表皮にも苔《こけ》のように鈍さをはりつけていた。

経済的に慎吾の家庭を犯していないということだけで、知子は強いて慎吾の妻にも世間の非難にも昂然《こうぜん》と頭をあげ、しだいにこの関係に麻痺していた。

涼太の肩に頭をあずけたまま、知子は涼太と呼吸をあわせ、やすらぎきっていた。二人の頭の上に、もう知子にはなじみ深くなってしまった涼太の部屋の節の多い天井がひろがっていた。

凉太もまた慎吾と同じに、右肩に女の頭をのせる癖をもっていた。少し匂う知子の長い髪が凉太の首にまきつくようにからんでいた。知子の軀に置いていた凉太の手に力がかえってくるのがわかった。

慎吾が海辺の家へかえるのを待ちかねたように、凉太との時間がはじまる。

一ヵ月前と何の変りもない繰りかえしがはじまっていた。

このごろ知子は慎吾に話すことを無意識に凉太にも話している癖がついていた。話の途中で時時、ひどく曖昧《あいまい》な表情になって、目をやわらげ、

「……これ、あたし、もう話したかしら?」

と聞く。慎吾と凉太に二度ずつする話が時々知子の記憶の中でこんがらかってくるのだ。

知子は凉太の手にじぶんの手を重ねながら、慎吾の死の夢の話をくりかえしていた。

ふいに凉太の手の力が知子の手の中でいちどに萎《な》えるのが感じられた。知子が見つめると、凉太の目の中から光が薄れ、白っぽい灰色の空洞のように見えた。盲のような茫漠とした表情が凉太の顔を見馴れない不気味なものに変えていた。怯えを感じ、知子はあわてて凉太の軀にしがみついてゆさぶっていた。

「どうしたの……どうかしたの」

凉太の空洞の目にのろのろと灰色の眼球が動いた。

「あなたは……小杉さんが死ぬまで、ぼくを待たせるつもりなのか……」

「……………」

「みんな長生きするさ、あなたたちは揃いも揃って、超無神経な人たちだからな、ぼくみたいな普通の人間が、いちばん早く死んで片づくよ。あなたは何もわかっちゃいないんだ。二人の男に見送られて、迎えられて、あなたは幸福そうに小杉さんと引きあげる。銀座であなたたちと別れて、あの日ぼくがどうしてすごしただろうなんて考えてみたこともないんだ。一カ月心配して待って、待って、その揚句《あげく》、二人で仲よく帰るのを見送って、どうして時間がつぶせるんだ。仕事なんか出来るものか。へとへとになるまで車をのりまわし、映画館に入り酒をのむ……あなたの想像してみたこともない時間だ」

涼太は急に軀をおこすと、ふとんの上にあぐらをかいて坐り、一角獣でも見るような気味悪そうな冷やかな目つきで斜めに知子を見おろした。あわてて知子は毛布をずりあげて軀をおおった。その仕ぐさが醜く涼太の目に映っているのが感じられて、知子は軀が熱くなった。起き上ろうとしたが、涼太の目の冷やかさに軀が凍らされたようにこわばっていた。

「全く不思議な人たちだ。よくも、八年間もけんか一つしなかったなんていい気でこられたもんだ。三人が三人ずるくて、狎合《なれあ》いでごまかしあってきたんじゃないか。せんじつめれば愛の不能者のより集りだ。二言めには小杉さんの優しさをあなたはいう。あなたは優しさという阿片で魔法にかけられているだけじゃないか」

「慎ははじめから、奥さんを愛してることをあたしにかくしてたわけじゃないわ。でもあの人よりあたしを愛してるって自覚があたしにあればいいじゃないの」

「じゃなぜ、向うと別れようとしないんだ」

「あたしが、望まないからよ」

涼太が顔色を変えた。

「慎はあたしが呼べば来ると思うわ、でも慎って人はこっちへ来てしまえば、向うが気になってたまらない人なのよ。そうなった方が今より惨めだわ、だからあたしはそうしないだけよ」

涼太の蒼白い頬にふっと冷笑がわいた。

「大した思い上りだな、そこまでおめでたい人だと思わなかったな。賭けてもいいよ、小杉さんがあなたといっしょになんかなれるもんか。それが出来るなら八年間一度も試みてみようともしない筈があるもんか。イージーなだけだよ、ためしにやってみろよ」

「あんたに何がわかるの、慎とあたしにはあんたのしらないきずいてきた、生活があったのよ。今のあたしはあの人につくられたあたしなのよ。あなたが昔好きになったあたしと、今のあたしははっきりちがう人間なのよ。あなただってそのことを内心ちゃんと認めているんだわ。はじめっからあたしは、あなたに慎のことをかくしてもいなければ、愛していないといったこともないわ、あなたからそんなに云われる謂《いい》われはない筈だわ」

「それじゃ、ぼくのことは何だ、浮気か」

「憐憫《れんびん》よ」

云ってしまったと思った時、知子の軀から毛布がひきちぎられていた。見せたことのない狂暴な力で涼太は知子におそいかかった。知子もはじめて見せる荒々しい抵抗をした。汗でぬめる二つの軀が声もなくのたうちまわった。骨の鳴る音が誰のものかわからなかった。憎悪をこめて知子が涼太の手首に歯をたてた時、涼太は荒々しく知子の中に押し入ってきた。冷たい声がかすれた咽喉をもれてきた。

「今、あそこでも、こういう状態だ。そんなこと考えてみたこともないのか」

涼太の動きの下で貧血をおこし、意識を失っていきながら、知子は心に慎吾の名を呼びもとめていた。


夏が燃えさかっていた。

慎吾が来ている日々には涼太はさり気ない電話をかけてきた。慎吾が出ると、勤め先の三流広告代理店の景気の話や、野球の話や二日酔のことを愛想よく話した。

慎吾の機嫌のいい笑い声まじりのあいづちのうち方で、知子にも話の内容が想像出来た。

慎吾にかわってようやく知子が出た時は、涼太はじぶんの道化の浅ましさに自己嫌悪がふきあげてくる最中で、声も出ないことが多かった。受話器に荒々しい呼吸が乱れ、乱暴に断ちきるように電話はきられた。

「相当ヒステリーだな、涼太くんは」

慎吾はある日の涼太の電話のあとでいった。

「あの人は慎と別れて結婚してくれっていうのよ」

知子はあんまりすらすら出たことばが、一瞬じぶんのものとも思えなかった。無意識にせよ何という狡猾《こうかつ》な告白だろう。真実を何ひとつ告げないこんな告白の方法もあったのか。慎吾は皮肉な声でいった。

「そんなこと、わかってるさ」

「えっ」

「当りまえじゃないか。知子のことなら何でもわかってる」

知子の頬が冷えた。慎吾の表情の少い顔をまじまじとみつめた。そこからそれ以上、何も見出すことが出来なかった。けれどもつづいた慎吾のことばが慎吾の『わかってる』程度を教えた。

「いいかげんにあしらっておいた方がいい。甘い顔みせるとつけあがってきて、深入りされてしまうとうるさいよ」

それから吐きだすように冷たい声でつけくわえた。

「おかしなやつだ。人のものばかり欲しがる。女くらいじぶんでさがせばいいんだ」

「どういうこと」

「じぶんでいつだか得意そうにいってたよ。別れた女房だって、バーのマダムで旦那がいたって。昔の知子の時だってそうだろ、それにまた今度だ」

「昔はあたしが悪かったのよ。それであたしにはあの人に負目があって、どうも冷たく出来ない」

また、本音を半分ないまぜていると、知子は自分のことばにあきれていた。

「色恋なんか二人の責任だ、どっちだって加害者で被害者だ」

「最初の恋愛がそうだと生涯そういう女ばかりにひかれるってこともあるんじゃない？」

「そんなの感傷だよ」

にべもない云い方であった。涼太に対してこんな冷たい感情が慎吾の中にあったのかと、知子は驚かされた。


去年の暮、知子は例年になく旅に出るのが億劫《おっくう》になっていた。

慎吾は妻と別れようかと一度も云わないように、大晦日《おおみそか》を知子と共に過そうとは、一度も口にしなかった。約束の帰宅の日を守る律儀さで、家庭に「夫」の形式の必要な日は、必ず海辺の家に帰っていた。いつか知子は、慎吾が、『心おきなく』海辺の家で正月が迎えられるように、年末からひとりで旅に出かける習慣をつくっていた。知子にとっては一年中で一番惨めな数日であった。

年の瀬もせまって知子ははじめて慎吾にいった。

「あたし、今年ここで正月するわ」

その時の知子の気持の中には、もしかしたら慎吾が、例年とは違った正月の仕方を計画するのではないかという一種の期待があった。慎吾が気弱そうな、困った表情になり、

「元旦は出来るだけ早く来るよ。寄席《よせ》にでも行こうか」

といった。

大晦日の夜から知子はひきこんでいた風邪がこじれて、発熱した。

約束通り、元旦の昼前やってきた慎吾は、知子の枕元につききりで看病した。慎吾の看病のう

まさは自慢のもので、慎吾に背中をあずけきって、汗の寝巻をとりかえてもらう時、知子はほとんど慎吾の愛撫をうけているような気持にさえさせられる。

慎吾のやさしさに気分をゆるめきっていた三日の朝、

「もう大丈夫だな、明日一日まだ用心して寝てなきゃいけないよ」

と慎吾が立ち上った。物静かに手早く外出の身支度を終ると、オーバーに手を通しながら、

「今夜、用があるんだ。六日に来る」

といった。唇で知子の額の熱をたしかめ、

「もう大丈夫だな」

じぶんに云いきかせる調子でつぶやき、それが特徴の猫のような足音のない歩き方で立ち去った。

その翌日、思いがけなく涼太が十二年ぶりでふいに訪れてきたのであった。涼太が結婚にも失敗し、生活も華やいでいない、いわば萎えたような状態だったのが、孤独な気分におちていた知子にはかえってなつかしいものに映った。二人はお互いにじぶんの方が相手の人生を狂わせたと信じこんでいたから、寛大で優しく向いあった。

涼太は知子のむきだしにされた孤独な表情に、すべりこむすきを見つけた。

その日から慎吾がいても涼太は公然と訪れてきた。

かつて、慎吾と知子が結ばれた時のように、とりたてていえるわけもなく、二人はずるずる深みに入っていった。

涼太にむかうと、知子はそれ以外の話題が考えられないように、慎吾のことを口に上せた。

「全く不思議な人ねえ、慎はいったいどの駅あたりでむこうとこっちの心をきりかえるのかしら、考えてみれば不思議な人ねえ」

「小杉さんだけじゃないよ。不思議なのは、あなたも、むこうの奥さんも、ぼくもだんだん、おかしくなってきている」

「もしも、天災がおこったら、どうするでしょう。丁度、真中あたりを電車が走っている時、天災がおこれば、一番気が楽でしょうよね、どっちにも義理がたって」

そんな話の中で、知子はまるで涼太という鏡に映る慎吾を、たしかめるように、しだいに慎吾との生活をふりかえるようになっていた。

涼太の悶えは日一日と深くなった。つぶれかかった会社に出ているのやら、いないのやら。不眠症がひどくなったといっては真夜中に毎晩のように電話をかけてくる。

深夜の電話ボックスから聞える涼太の声の間には、犬の声やパトカーの警笛や、鋭い風のうなり声が伴奏に入った。

いきなりほとばしるような男泣きの号泣が耳にとびこんでくることがある。幼児の泣き声よりも、もっとひたむきな哀切なひびきが、受話器の中の潮騒《しおさい》のような雑音とからみあってくる。

知子は全身に刃をきりこまれるような痛みを感じながら、

「泣きやみなさい」

「泣きやむのよ。早く」

「ばかっ、泣きやめ」

じれて、壁を叩きながら、知子もしまいには地蹈鞴《じだんだ》ふんで泣きだしている。酔って自制心を失った涼太の狂態だと想像しても、知子も涼太の激情に巻きこまれていかずにはおれない。

「もう厭《いや》だ。ぼくは男妾《めかけ》じゃない。あなたの扱いはそうじゃないか、でなかったら、そっちは娼婦だ、あなたは精神的娼婦だ」

「おれはずいぶん馬鹿にされつづけたと思う。あなたは木偶《でく》だ。意志なんかない人間だ」

いくら言いつのっても涼太の悶えが晴れるわけでもない。

逢えば、

「もうどうなったっていいんだ。ぼくはもうどんな立場だってがまんする。あなたが時々逢ってくれるだけでいい、ほんとにそれしか望まない。あなたが苦しむのをみるのはいやだ。捨てないといってくれ」

知子の膝にとりすがっていう同じ口から出る罵声だった。

受話器の中に鋭いパトカーの警笛がひびく度、知子は道路に血だらけになって倒れている涼太の幻影に悩まされた。

逢う度、涼太のやつれがめだち、もうそれは、夏やせとよぶ限度を越えてきた。あきらかに病的な衰えが涼太の全身を蝕《むしば》んでいた。

ある日、慎吾の机にあった百花譜をひきよせようとして、知子はその下からあらわれた一通の手紙に気づいた。

封筒からぬきだされたままの手紙は、いかにも無造作にそこに捨てておかれた形だった。何気なくとりあげてひらいた。慎吾によく似た文字を一行よみおわるまで、知子はうかつにも、慎吾の手紙を読んでいるような錯覚をもった。

それは、慎吾の妻から夫への手紙だった。

「ハボちゃん、ぶじ帰っていきました、よろしくって。今ラジオで一万メートルの海底にもぐった潜水艇の話を聞きました。そんな深い水中にもやはり生きて、動いている世界といのちがあるというのが怖いみたいです。

高倉さんのデブ奥さまの服仕たてています。お嬢さんの方だと縫ってても愉しいけれど――この人どうしてこう趣味が悪いのかしら。

ラリーがすこしおなかこわしていて元気ありません。メメのところへは、毎晩、酒屋のトラが通ってきて恋の季節です。洋子がメメの口ひげをきってみたいとおっかけるのでメメは大分おヒスのようです。

洋子はこのところ試験勉強で気味が悪いみたいな慎みようです。

この前のケーキ買ってきてくださいって

咳はいかが

　　　　　　　　　　　　　　　　ゆき

　しんごさま

」

知子はすうっと血が冷えていくような目まいを覚えた。彼等の年齢や、結婚生活の長さからみれば、異様なほど若々しい情緒に匂う文面だった。

知子の知らない知人の名、知子の知らない猫や犬……これまで強いて描いてみようとしなかった彼等の『家庭』を出来るだけ写実的に思い描こうとして、知子はかえって反射的に自分の周囲を見まわしていた。

窓際の二つの机、机の上にも畳にも散乱した本や布や型紙、未整理の郵便物、学生下宿と大差ない殺風景さ。犬や、猫も、憩いの場の甘さも、まして、恋の隠れ家の秘密めかしいなまめきさえ、もはや、そこにはあとかたもなかった。

どうやって、そこまで来たのか覚えもなかった。

涼太の窓が開いているのを見て、知子は涙があふれそうになった。慎吾の居ない部屋で慎吾の妻のなまなましい声を聞いたような不気味さがまだ軀をほてらせ、駆けつづけてきた頭の中は空洞になっていた。

いつものノックをしても部屋の中に動く気配もなかった。

「あけて」

知子はひそめた声をかけた。いつもならノブに手をかけるが早いか、内側から開いていた扉は、それでもあかなかった。知子はこきざみに、ノックをつづけた。

「あたしよ」

ようやくドアがあいた。

知子がドアに鍵をかける間に、どさっと音をたてて涼太は部屋の真中にころがった。知子ははじめて涼太の浴衣のかげの右脚が、膝から足首まで繃帯でつつまれているのに気づいた。

「どうしたの」

声が上ずっていた。

「オートバイでかすられたんだ」

「まあ、危い！　酔ってたのね！　だから、いってるじゃないの、夜なかにあんなに酔っちゃいけないって、大丈夫？　ね、大丈夫」

そばへよろうとする知子を寝たまま涼太は片手でさえぎった。くるっと寝がえりをうって、知子に背を向けた。

知子は、その横で壁にもたれると、急にまたここまで持ちこたえてきた感情があふれたように昂奮した声でしゃべりはじめた。

「あたし……今日はじめてあの人の手紙、見てしまったの、気持が悪いったらない。べたべたしていやらしいの」

じぶんの感情にあおられた形で、知子は一度で目にやきついてしまった手紙の文句までしゃべっていた。

思いだせば思いだすほど、その文面は愛されている妻にしか書けない、夫へのものだと思われてくる。知子の声にはもう優越感も気どりもなかった。

「まったく、ばかにした話だわ、慎も慎だわ」

知子の上ずった声のとぎれるのを待ちかねたように涼太がいった。

「帰ってくれないか」

ひからびた、抑揚のない声だった。びっくりして知子はきょとんとした。

「どうかして」

「もう、厭なんだ。あなたのそういうみっともなさをこれ以上見たくないんだ。当り前じゃないか、そんな手紙。向うは夫婦だ」

「……………」

「お願いだ、帰ってくれ……疲れた……」

天井にむきなおった凉太の顔は、面のように無表情に強張《こわ》っていた。かさばった荷物のように、凉太の軀がそこにころがって身じろぎもしなかった。

知子は屈辱と甘えがいりまじって泣きだしていた。こんなところで、こんな男にこれほど惨めに罵倒されるのも、あの部屋に慎吾がいないせいではないか。

凉太がふいに立ち上った。知子の前を足をひきずっていきなりドアの方へいった。

「あなたが出ていかないなら、おれが出る」

とめるひまもなかった。知子は全身の力が萎えてそこに坐りこんでいた。

いっとき、涙が出るにまかせていた。

凉太の机の欠けた鏡の中に、泣きはれた醜い顔があった。目尻に皺《しわ》をきざんだ三十八歳という女の年齢が牙《きば》をむいて知子にむきあっている。

旅からもち帰った陽やけは消えていたが、顔の肉はおち、化粧がとれむきだされた素顔の皮膚は、目の下にしみをうかせ、てらてらと黄色く光っていた。一夏で急に老《ふ》けたと思った。

「女の情事は五十までよ。五十になって、裸の自分にひけ目を感じるようになればもうおしまいよ。摂生しても鍛錬しても、顔とちがって軀はごまかせないわ」

様々な噂にかこまれた年上の女友だちが、いつか云ったことばが思いだされてきた。

どうひいき目に見ても知子の女はすでに凋落《ちょうらく》の季節に足をふみいれているとしか思われない。この醜いじぶんの中に六つ歳下の涼太をひきつけるなにがあっただろうか。自嘲をこめ、歯のぬけおちた顔を想像して、知子は頬を吸いこみ、ひひと、笑い声をおし出してみた。

のろのろと立ち上り、もう来ることもない部屋をみまわし、ドアを押した。

日ざしのきらめきには夏の猛々《たけだけ》しさがのこっていたが、空の青さの底にはすでに、疲れを沈めたような夏の終りのなまめきがあった。日かげの風は、さわやかな涼気をかすかにふくんでいた。

夏がものうそうにすぎようとしていた。知子にはこの夏がたいそう長かったような気がした。旅から帰ってきてまだ二ヵ月しかたっていないのだった。急にその場に坐りこみたいようなおびただしい疲労が足をもつれさせてきた。腰を突きだし、知子は老婆のように一、二度、醜くのめった。この惨めさを慎吾以外に誰に抱きとってもらえるだろう。

今、帰っていく部屋に慎吾がいないことが心にこたえた。いつでもこういう切実さで、慎吾を求める時には、慎吾はいつもいなかったような気がした。

その翌日、知子は慎吾の家のある町の駅におりていた。

これまで八年間、知子はこの駅を通りすぎる度、決して無意識にすぎ去ることはなかった。急行が素通りするその駅の近くになると、本を読んでいても居眠っていても不思議にはっと気がついた。

たいていその時は、慎吾がその町の家にいる日であった。

この町のどこかに、慎吾が、じぶんの見たこともない妻や娘と、今、食事をしていたり、テレビをみていたり、散歩していたりするという奇妙な実感は、知子をいつでも不思議な感動にひきいれた。一種のなつかしささえあった。こっけいなことに、知子は慎吾の家がその町のどの方角にあるのかも知らなかった。知子が八年めにはじめて慎吾の欲しないことを慎吾の前へしに行こうとしているのだ。

それはこれから、慎吾につげようとすることにくらべたら、およそ、何でもないことに思えた。

避暑地の入口として有名なその駅の前は、強い陽ざしをあびてバスが無数に居並んでいた。

慎吾が好きな白い上布の着物をきた知子は、手に慎吾の黒い旅行カバンをさげていた。何のためにそのカバンをさげてきたのかわからなかったが、出がけに、それが目につくと、知子は無意識にとりあげていた。慎吾の手あかのしみたさげ緒は、よく取れかかって、妻の手でも知子の手でも修繕されていた。

おりた駅前で、知子は手みやげに菓子を買った。はじめて乗りこんでくる夫の女から手みやげの菓子を渡される妻の立場を、金を払いながらちらと思いうかべたが、菓子おりを慎吾のカバンに乱暴につっこんだ。

菓子屋にきくと、慎吾の家の町名は、広い国道を左へ進んだ方にあった。目標はただ一つ、ガラスの綿をつくる工場であった。何かの話の折、慎吾が家のすぐそばにガラスの綿をつくる工場があるといったのを、知子は心にとめていた。

「××町のガラスをつくる工場はどの辺りでしょうか」

何度も人にたずねてみたが、誰もけげんな顔をして、そんな工場はしらないといった。××町は線路をはさんだ意外に広い地域だということだった。

白い国道は夏の陽ざしに焼かれ、ぶよぶよとしまりなくふくらんでいた。陽かげの全くない道をじりじり陽にやかれながら、歩きつづけ、知子はしだいに頭の中が空虚になってきた。たずねると、人毎にみんな全く前者とちがった方向をいった。まるでそこには慎吾の意志が働いて、知子を近づかせないような気さえしてくる。

何の目的で慎吾の家を訪ねているのか、もう知子の頭には考えられなくなっていた。

八年前、やはりこうして慎吾の家を探した、たった一度の経験が、昨日のように思いだされてきた。

慎吾が知子の部屋に来はじめて間もない頃、日ましに慎吾への恋の想いを知子が思いしらされているような日々であった。

便りもなく、慎吾の来ない日がつづいた。

知子はもう、慎吾の病気を疑うことが出来ず、じっとしていられなかった。その頃の慎吾はもう一駅先の妻の実家に住んでいた。

知子はまだそういう事情さえしらなかった。

番地だけをたよりに夢中で駅におりていた。急に思いたってでかけたら、着いた時は、陽が落ちていた。暗い海辺の町を訪ねあぐね、知子は二時間も迷いつづけた。

柵のない鉄橋にさしかかり、ハイヒールをぬぎ、犬のようにはいつくばって早瀬の音の上で行き悩んだりした。どこで破れたのか靴下は無数の傷になっていた。身動きする度新しい傷が走った。

ようやく探しあてた慎吾の家にしのびこむため、二度めに靴をぬぐ時は、じぶんでも驚く素早さでその動作を終っていた。暗い庭の隅に息をひそめ、知子はおびえた獣のように全身を神経にしてうずくまった。靴下を通してくる夜露が、しめった土の冷たさを全身で吸いあげていた。

うずくまって見上げるせいか、建物は思いがけず巨大な影に見えた。知子の知っている慎吾の貧しさと、夜目にも大きないかめしい二階家との不釣合に、知子は惨めに気持がひるんでいた。

二階の雨戸のかすかなすきまから、光が滲《にじ》みだし、縞を描いているのが目に映ってきた。小さな節穴にも黄色い光が雫《しずく》のようにたまっていた。半時間近くもうずくまり、身動きもとめて密かに泣いた。その時になって、ようやく疲れが感覚となってきた。

たとえ今、慎吾が雨戸の奥で死にかかっていたとしても、知子の入る場所はそこにはなかったのだ。凍えた指先で足元から小石を拾いあげ、のろのろ背をのばすと、たてつづけに光の縞にむかって石をなげつけた。石は虚《むな》しい弧を描き、どれもみな闇の途中から弱々しく落下した。一つだけ木の幹に当り、かすかな鈍い響をたてたのが聞えた。

トラックが目をあけられないような砂埃《ほこり》を、知子の頭から吹きつけて去った。追憶がきれた。荷台の上にいた若い男たちが、和服のため、遠目には派手に見える知子をみて、野卑な口笛を吹きならした。汗にぬれ、化粧が落ち、髪が乱れ、ほこりをかぶっていることも、もうどうでもよくなってきた。慎吾の妻に今更、きれいに見てもらうこともないだろうと、知子は不貞《ふて》くされる気持であった。

道ばたの家の軒先に入り、知子は、汗と埃をふいた。ハンカチが気味の悪いくらい黒くなった。

家の中から青いワンピースのお下げの少女が出てきた。知子は少女に、何度きいたかわからない慎吾の家をもう一度訊《たず》ねた。

「ああ、小杉さん」

少女は慎吾の娘の名をいい、学校友達だと快活にいった。知子は茫然として少女を見た。小麦色に陽けした少女の軀はのびのびと気持よく育ち、うぶ毛の光る頬から首すじへかけて女の生涯で一番清らかな線をほのぼのと描いていた。慎吾の娘は高校三年になっているのだった。慎吾と知子が知りあった頃は、まだ小学校の三、四年生だった筈だ。心がしいんとしびれるような歳月の厳粛さと怖ろしさにうたれた。

どうして今まで一度も、慎吾の妻も、じぶんも、三人で逢おうという心をおこさなかったのだろうと不気味な気がしてきた。涼太の、

「あなたたちくらい不潔で卑怯な関係はない」

と吐きだすようにいっていたことばが心を刺してきた。

慎吾の家はそこから二百米《メートル》とはなれていなかった。さっきから二度もそこを通りすぎていたことに気づいた。

槙垣《まきがき》にかこまれた、ありふれた小さな平屋だった。門にすっかり薄れた慎吾の字で標札が出ていた。

垣根のすきまからのぞくと、庭に面した座敷の縁近くに浴衣《ゆかた》の人影が見える。慎吾だった。背後の壁ぎわに本棚が並んでいた。

急に軀に鉛がこめられたように身動きが緩慢になってきた。着物の下に一せいにふきだす汗の冷たさが感じられた。顔から血の気がひいていくようであった。まっくろになったハンカチでむやみに足袋をはたいた。はたいてもはたいても埃がとれなかった。

慎吾のカバンをにぎりしめ、知子は本能的に足音をしのばせるようにしてしおり戸の中へ入っていった。妻が出てきたら、一目で名乗らなくてもわかるのではないかと思った。

塀《へい》ぎわの埃っぽい八つ手のそばに立ち止ると、縁側の人影が立ち上って首をのばした。慎吾と

目があった。

知子の顔が泣き顔をがまんする子供のように力み、ゆがんでいった。

「どうした」

驚いても表情のかわらない慎吾の声がさすがにふるえていた。

「来ちゃった」

「誰もいない、上んなさい」

早く知らせるように、誰もいないということばに力をこめていた。それを聞くと、全身からはりつめていた気が萎えていった。こわばった頰がゆるみ、安心して、知子は涙の出るにまかせた。

「暑かったろう。颱風《たいふう》が明日からだからやけに暑い」

慎吾にしては言葉が多かった。

「迷って、迷って、ここ二度もとおったのに……一時間以上も歩いて、みんなちがうとこ教えるんだもの」

「いないんだ、今朝から東京へ二人で行ってる」

玄関でちゅうちょしている知子に慎吾がもう一度いった。

玄関にまだ新しい男下駄と、はきなれたビニールの水色と黄色のサンダルがちらばっていた。

家の中は森閑としていた。

「お水ちょうだい」

居間とも茶の間とも見える雑然とした部屋に通されると、知子はいった。

慎吾がだまって水を汲《く》んできた。その間にミシンとか裁物台とかこげたアイロン台などが、順序もなく目にとびこんでいた。慎吾の妻の内職の道具だった。

水をのみおわって、はじめて涙がかわいた目に、慎吾の顔が見えてきた。不精ひげがのび、びっくりするほど老けた顔をしていた。知子の部屋でもこの頃では白いもののまじった髭《ひげ》をそらない日もあるが、こんな老けた顔を知子ははじめて見た。年の割に髪が多く真黒な慎吾は、日によってはひどく若く見えることもあった。

「どうした」

もう一度いって、はじめて慎吾がつつみこむようないつもの目でみつめ笑った。つりこまれて知子も笑顔になり、もじもじした。

「おしっこ」

慎吾が知子の肩をおし廊下を案内する。古風な厠《かわや》の中でひとりになると、ふいにまた涙がこみあげてきた。涼太の下宿のベニヤ板くさい厠を思いだした。

この家にいる慎吾が知子の目にはどうにも坐りが悪く、見なれた知子の部屋の慎吾の方が、主人らしく堂々としているような気がするのが不思議だった。座敷にもどると慎吾が中腰でコップにビールびんから麦茶をいれていた。

「ひげ、すったら」

「うん」

すぐ廊下の洗面所へいって慎吾はかみそりをつかいはじめた。

知子は素早く部屋を見廻した。この次の部屋の方が客を通すのにふさわしいらしいのに、慎吾がこの部屋に知子を案内したのは、この部屋がどこからも見られないためのように思えた。次の部屋は、道路からその気になればまる見えになる。

テレビの横に慎吾の毎晩欠かせない菊正のびんが、三分の一ほどの酒をのこし突っ立っていた。いかにも思いたってすぐに出ていったという感じで、部屋は雑然としているせいか、かえって、妻や娘の気配をその部屋になまなましくのこしていた。

首をまわすと、壁にハンガーにつったワンピースがかかっていた。思わずぎょっと知子は身をひいた。背後からずっとその服に見つめられていたかと気味が悪かった。一目で慎吾の妻の不断着とわかった。まだ体温や汗の匂いがのこっているようななまなましさで、その服は一種の表情をもって下っていた。小柄な中年の女の軀が想像出来た。

日盛りの庭には草が埃をかぶり、土が乾涸《ひから》びていた。ペンキのはげた空の犬小屋が雨ざらしになり半分くちかかっている。

「犬どうしたの」

「ずっと前死んだ」

あの手紙はいつのものだったのか。

入った時から肌にひやっと感じていたものの正体がしだいにわかってくるようだった。家全体にどこか投げやりな心のこもらないすさんだ感じがただよっていたのだ。

家には人が住んでいるのに心が住んでいない冷たい雰囲気があった。

知子の胸の奥に熱くたぎってくるものがある。まともにのぞいてみたことのない八年間の慎吾の妻の心の奥の昏《くら》さと荒涼が、真向から、黒い冷たい風になって吹きつけてきた。

この家で夫を女の部屋に、子供を学校に送った後、ひとりで坐っている、中年すぎた小柄の女の薄い背姿の孤独な影。

心に痛みがはしった。震えが背骨をつきあげてきた。じぶんのしてきたことの怖ろしさにつきあたり、はじめて知子の頬が青ざめてきた。

涼太の号泣する声や罵《ののし》ることばや、灰色にうごかなくなる魂のぬけたような瞳が浮ぶ。

「あなたはぼくにしている以上に小杉さんの奥さんにひどいことをしているんだ」

慎吾が剃《そ》りあとのさわやかな表情になって入ってきた時、知子はうちのめされたような顔をした。

「出ましょう。ここ、居辛い」

「うん」

慎吾と歩くと意外な近さに駅が見えてきた。

うつむきかげんに涙をぼたぼた落しながら歩く知子と並んで、慎吾は何となくぎこちなく軀をこわばらせていた。どこで近所の人が見ているかわからないのだ。

「あの人に逢って、どうしたらいいか三人で話したかったの」

慎吾はだまって知子の歩調に合せていた。

「突然のようだけど、今日来てみて、ずっとやっぱり、心の底では考えていたのかもしれないと思った。どうにもならないんでしょう。ねえ、慎はあの人たちと別れることって出来ないんでしょう」

やはり慎吾はだまっていた。

「慎はやさしいから……それはできないのよ。あたしは、いつでも慎が決心して来るならひきうけるつもりでいたの、あの人たちとの別れ話は慎の問題で、あたしの心はもう決ってるんだから関係ないと思ってた。でも、そうともいえないような気が今してきた」

慎吾の無口は今に始まったことではなかった。慎吾と暮すようになって、知子はじぶんの心のうちは慎吾にむかって話すことによって発見し、その上に、慎吾の心の中まで代弁するくせがついていた。

涙はかわいてきた。

「もし、あたしの方へ来てしまったら、慎はこっちの人のことが心配でたまらなくなって、ぬけだしてでも見にくるようになるでしょう。それは……いやなの」

涼太にも同じことをいった。でもそれだけは嘘だ。本当は、慎吾をひきとるまではよくても、妻と娘へ仕送りすることが厭なのではなかったか。三十万円を本妻が愛人に請求し勝訴した話があった。三十万円で夫が買いとれるなら、生活力のある独身の女はどんなに選《え》り好みして「妻たち」から「夫」を買いに行くだろう。

駅前に来ていた。

「ビールのむか、コーヒーにするか」

慎吾が口をきいた。

「コーヒー」

先に立って慎吾は細い路地の中に入って行った。東京風なしゃれた喫茶店があった。向いあって坐ると、知子は目の中が昏くなるような疲労を感じてきた。慎吾は相変らずおし黙ったまま、煙草を吸いつづけた。

知子には慎吾が今何を考えているか手にとるようにわかった。一から十へ飛ぶような、飛躍しがちな知子の心の経緯をたぐっているのだ。衝動的な行動をする知子の行為にも、必ず原因がある筈だった。

知子は慎吾の無言の問に答えなければならないような気がしてきた。

ふいに知子は顔を歪《ゆが》め、慎吾を見つめたまま、しゃくりあげた。

「ごめんなさい……涼太とずっと……どうしても云えなかった……」

「…………」

脳髄をひきぬかれたような虚脱感におそわれた。目まいのしそうな恐怖と安堵が、一瞬知子に痴呆のような表情をとらせた。

小さなテーブルの上に、両手をねじりあわせ、頭をつきだし、知子は全身で嗚咽《おえつ》をかみしめてふるえていた。

「ごめんなさい」

慎吾の大きな掌がテーブルごしに知子の頭を挟んだ。知子の嗚咽を静めようとするように、その掌にじわじわ力をこめておさえつけていた。

電蓄から空気をひきさくようなジャズがとどろいてきた。

慎吾のひくい、沈んだ声がその底から聞えた。

「あやまるのは、こっちだ」

長い時間がすぎた。

「惚《ほ》れてるのか」

慎吾がきいた。

「……わからないの……どうしていいかわからない。こんなふうになるなんて、ほんとに考えてもいなかったの」

知子は急に、いらいらした目つきになり、

「こんなことでは、何も仕事が出来やしない。この夏、あたし何もしなかった。秋の展覧会のも、木の実会の出品展のも、何の準備もできていないの。厭なのよそんなの、だめになってしまう」

まるで仕事の出来ないことが、二人の男の責任のような云い方であった。

「旅行でもしてくるといい」

慎吾の口調には、知子の気分の舵《かじ》は取りなれているという落着きがあった。

どれほど、そこにそうしていたか覚えなかった。

外に出た時は、日盛りはすぎ、黄昏《たそがれ》が黄いろっぽくあたりをつつんでいた。颱風の近づいてきたことを思わせる生温い風が、駅前の広場に、つむじ風をまきおこしている。キップ売場の方へ肩を並べて行きながら、ふと、知子が足を止めた。

「今頃、帰ってくる時間じゃないかしら」

東京へ買物に出た慎吾の妻と娘に、プラットフォームで逢う場面がとっさに知子の胸をかすめた。今、逢えば、教えられなくても知子には彼女たちを一目で当てられるような気がした。

「バスでも帰れるよ」

と慎吾がいった。慎吾の表情の中にも、三人の女がばったり逢う場面が浮んでくる当惑がうごいていた。

「バスにするわ」

知子の声は慎吾の欲求を先まわりして推しはかる、いつもの物わかりのよさをこめていた。

バスの入口で、知子がふりかえった。

「今日、あたしの来たこと、いったこと、あの人に、みんな話してね、涼太のことだって、かまわない」

慎吾はそれにはだまってうなずいた。

もうステップに足をかけた知子の背を、慎吾の声が追った。八年間、知子の聞きなれた、いつもの声であった。

「あさって、行く」

みれん

簞笥の引出しの一番上には、今朝、仕立上ってきたばかりの薩摩《さつま》がすりの対の男袷《あわせ》がのってい
た。こっくりした色に落ちついてきた藍《あい》の上に、しつけ糸の白さが鋭く冴《さ》え冴《ざ》えと目にしみる。
すぐにもそれを慎吾に着せてやりたい気持を押え、知子はその下から、汚れのしみた、萎えた紬《つむぎ》
の不断着をひきだしていた。

これからも、次ぎ次ぎ仕立上ってくる予定の衣類は、もうこの部屋では、慎吾に着せないつも
りになっている。しつけのついたまま、そっくり慎吾の妻に渡したいのだ。下着まで入れれば、
行李に三杯をこすだろうか。どういう方法でそれを慎吾の妻に渡すかまでは考えていない。
汚れた慎吾の下着や着物を、それとなく整理しはじめたのはいつ頃からだろう。

それはつい、二カ月ばかり前の夏の終り、海辺の慎吾の家へ、訪ねて行った時以来のようでも
あり、同時に、知子じしんでも、たしかには意識しなかった心の底で、もうこの一年近い月日、
それとなくすすめてきた、ひそかな別れの支度であったような気もしてくる。

丹前や半纏《はんてん》も、早く洗いに廻さなければと、知子の頭は気忙《ぜわ》しく回転した。

いずれは、別れて行く慎吾の身辺を、せめて清潔に整理して、じぶんとの生活の垢《あか》のあとは、
慎吾の妻の目にさらしたくないという、女の浅はかな見栄があった。

慎吾の四季の衣類の山を、はじめて目にする慎吾の妻が、夫の情事の、なまなましい痕跡《こんせき》を、

つきつけられた想いで、どんな痛切な恨みを新たにするだろうかという想像には、知子は知子なりの、たかをくくった推量があった。

　慎吾が知子の部屋に来はじめた頃、知子はサラリーマンの妻になっている女友だちから、何気なく聞かされた。

「いやんなっちゃうじゃない。主人の会社の女事務員たら、うちのお弁当箱まで洗ってくれるのよ。心をこめてつくってやったお弁当をさも不美味《まず》そうに残された時より、もっと気色が悪いじゃないの。癪《しやく》だから、お弁当箱も、つつんだハンカチもみんな捨ててやったわ」

　知子は友人のけろりとした顔を、まじまじと見つめた。知子も結婚生活を五年たらずおくった経験がある。浮気一つしたことのない夫のせいか、こんな凄《すさま》じい嫉妬《しつと》の気持は味わったこともなかった。その後の情事の相手にも、一度もそこまでつきつめた想いを持ったことがない。性こりもなく惚れっぽいくせに、心そこの情は案外に浅く、じぶんの血の濃度は、並はずれて薄いのではないかと、その時知子は思ったものだ。

　どうやら慎吾の妻も、夫の情婦が夫のために用意した、ふたりの生活の匂いのしみこんだ衣類を、嫉妬や潔癖のため、焼き捨てたり、切り裂いたり、売り払ったりするような、烈しい気性の女ではなさそうだ。そんな潔癖があれば、八年というおびただしい歳月の間、一言の文句もいわず、夫の情事を黙認して堪えられる筈もなかろうと、知子は勝手に想像していた。もちろん、それはあくまでも知子のひとり勝手な想像にすぎない。ついにまだ、一度も逢ったことも、写真をみたこともない慎吾の妻の、心のうちなど、知子に理解し得る筈もなかった。

二ヵ月前、知子がいきなり慎吾の家へ訪ねていった時も、慎吾の妻は一人娘をつれて外出していた。

訪ねるというよりも、それは襲うといった方がふさわしい、唐突な訪問のしかただった。

すでに八年もつづいてきた知子と、慎吾と、慎吾の妻との関係は、放っておけばこのまま永遠につづきそうにみえた。最初から、妻と知子がお互いの存在を黙認しあっての妥協の上になりたった関係が、最初は誰の我慢や犠牲で成立したものやら、もはや探し出しようもないほど歳月の埃にまみれていた。正常な感じやすい神経や感情は、鈍磨されて、救いようがない膠着《とうちゃく》状態に陥っていた。

その上、知子の側に、涼太という、昔の恋人の出現があり、いっそう複雑によれからんだ異様な関係は、知子の心身を惑乱させ、疲労させつくした。

慎吾の かげになって、貌《かお》も形もつかみどころのない慎吾の妻と、現実に向きあってみることで、進退もならない不様な自分の状態に、何等かの決断の手がかりを求めたいというのが、その時の知子の、切羽つまった本音であった。

知子の不意の訪問は、その時、一人で留守をしていた慎吾を少からず驚かせた。

知子は知子で、慎吾の受けた衝撃以上に、自分から求めたこととはいえ、ついにじぶんの目で確かめてしまった、慎吾の家や、生活の模様に打ちのめされてしまった。想像を越えたこたえ方だった。

しばらくは、夢によく、慎吾の家の玄関でみた、ぬぎすてられた黄色いビニールの女用サンダルや、壁から下っていて、じっと知子の後姿をにらみつけていたような気のする、白地に茶のプリント模様の、慎吾の妻のワンピースがあらわれた。顔のない慎吾の妻と娘にうなされて、目覚めることもあった。

訪ねあぐね、迷い疲れ、ようやく埃と汗にまみれてたどりついた慎吾の家から、不気味な荒廃の気を冷たく感じたことも、知子は忘れていない。

埃をかぶった入口の八つ手にも、葉のそそけた、ところまだらの柴垣《しばがき》の荒れ方にも、雑草さえ、ひ弱げにおそるおそるのび悩んでいた、亀裂の走った乾ききった庭にも、知子は慎吾の妻の長い孤独な心の、空洞の凄じさをのぞいた想いで、悚然《しょうぜん》と立ちすくんだ。

知子は乗りこんだ時のいきごみも忘れ、慎吾の妻の留守に心からほっとした。

顔がはれ上るほど泣きながら、曖昧な別れ話を持ちだしたかと思うと、憑《つ》かれたような唐突さで、ひた隠しにしてきた涼太との秘密を、慎吾に告白してしまった。それだけで、今にも帰って来そうな慎吾の妻の幻影に追われるようにそそくさと帰ってきた。

その夜更け、ようやくたどりついたじぶんの部屋で、知子は慎吾の妻へはじめて手紙を書いた。八年間の非礼をわびたあと、慎吾と別れるために、ぜひともあなたも力を貸してくれるようにと懇願した。手紙は新しい便箋半冊《さつ》分も費してしまった。

明け方になったのも気づかなかった。軀中の毒素を一気に吐《と》瀉《しゃ》し尽したような爽やかさに満たされ、知子は久しぶりにぐっすり熟睡した。目が覚めると、すでに真昼の白っぽい陽ざしが枕元にあふれていた。

知子は寝床から手をのばし、机の上にのせたままの、昨夜の手紙を読み直した。決して誇張や嘘は書いたつもりはないのに、一夜明けてみると、意外に、文章が心になじまない。

「お許し下さい」

と幾度も出てくるじぶんの文字を見て、知子はその度、身震いした。

昨夜はたしかに、慎吾の妻にすまなかったという気持があふれていたのに、今朝はじぶんのあやまり方が卑屈で惨めで許せない。どんな事情にせよ、夫の情事を八年間、黙認し許してきた慎吾の妻にも責任の一端はある筈だと、云いがかりと承知でいいつのりたい。

知子は長い時間かかって、手紙をこまかく引きちぎった。もっと長い時間をかけて、灰皿の中で執念深くそれを灰にかえていった。

涼太とのことを、慎吾に告白したのはいいとしても、慎吾との別れぎわに、

「今日、あたしの来たこと、いったこと、あの人にみんな話してね。涼太とのことだってかまわない」

など、なぜ云ってしまったのか。知子はじぶんのうかつさと甘さに、今更歯ぎしりしたい口惜しさであった。

そらごらんなさい、どうせそんなだらしのない女じゃありませんかと、妻は慎吾にせせら笑ったであろうか。それとも、慎吾は、知子にむかって唯の一度も、妻の悪口めいたものを口にしなかったように、知子の恥にも、ひいては自分の恥にもなる知子の情事などは、妻の前にかくしてくれただろうか。知子はひとりでとり乱し、じぶんの惨めさと醜さの中で、きりきり舞いをして

いた。

そんな悶《もだ》えの中から、息をのむような気持で、知子は慎吾と妻の出方をみつめていた。

それから二日めの午後だった。知子は窓際の机に向って原稿を書いていた。染色家としてようやく認められてきた知子には、時々こんな原稿の注文もくるようになっていた。

「雨になりそうだよ」

という慎吾の不意の声に、びくっと、知子は机の前で飛び上った。その拍子に、婦人雑誌向けの紅型染についての原稿のペンがすべり、不様な線をつけてしまった。

足音のない猫のような歩き方は、慎吾の日ごろの癖であった。長い慎吾とのかかわりの、どの年あたりから、こんな風情《ふぜい》もない男の迎え方をするようになったのか。今の知子には、もう思いだすこともできなかった。

驚き方の強さがひときわ強烈になり、慎吾の顔を見上げた後も、まだ動悸を静めかねたり、乾いた唇をことばもなくあえがせたりするのは、涼太との秘密を持って以来の、知子の後ろめたさから来る新しい癖であった。

たとい、慎吾に打ちあけてしまった今になっても、やはり、この異常なほどの一瞬の驚愕の不様さは残る。

「ああ、びっくりした」

声にだしてふりむくと、いかにも妻の許《もと》で、休息してきたという爽やかな男ぶりになった慎吾が、すぐ背後に立っていた。ネクタイをゆるめもせず、まず、煙草をとりだしている。

「洗濯物大丈夫か」

静かな声で慎吾が物干の方をうかがった。いつのまにかすっかり曇った暗い空からもう細かい雨が降りはじめていた。立ち上った知子の後ろで、慎吾はテレビに近づき、野球中継にダイヤルをあわした。それから長い首をのばし、さもうるさそうにネクタイをひっぱった。いつもの、この部屋で落着く慎吾の、きまりの動作であった。知子は慎吾のまったく変らない態度に気をのまれて、ふっと、じぶんが慎吾の家へ訪ねていったのが夢であったかのような錯覚にとらわれていた。

少くとも、知子が慎吾の家を訪ねたという事実は、何の意味も効果も、慎吾の上にはもたらしていないようであった。

「あの人、何ていってた？　あたしの行ったこと」

「うん……」

「安心してた？　ね、喜んでる？」

「うん、まあ、そうだろう」

「みんな話してくれた？」

「うん」

「軽蔑した？」

「……そんなことないよ」

口数の少い慎吾から、妻の反応を聞きだせたのは、ようやくそれくらいであった。

いったいどういうつもりなのか。知子は全く変らない慎吾のあらわれ方や態度に、心のどこかでほっとしながら、何かにはぐらかされたような、空虚な苛《いら》だちを感じていた。それは、次第に一種の屈辱感となって心の底に瞋《いか》りに似た感情をこもらせてきた。いつのまにか、その瞋りは慎吾の妻ひとりにむかって燃えていた。ああまでして、とにもかくにもこの奇態な状態に、何かの解決のめどを見つけようと、ひとりでもがいたじぶんの努力に対して、相変らず、慎吾を知子の部屋に送り出す妻の気持というのは、どこにあるのか。

知子は慎吾の妻が巨大なタイルの壁になって、じぶんの目の前に立ちふさがったような気がしてきた。爪もかけられないつるつるの壁は、手がかりというものが皆目ないのだ。その壁にさえぎられたが最後、知子には慎吾の心のありかも見失ってしまう。前後の見さかいもなく思いつめ、とりのぼせて恥をさらしにいっただけのじぶんの道化ぶりが、苦々しく、惨めで口惜しい。

慎吾はこのさき、相変らず、いつまでも時計の振子のように、二人の女の間を一週間を二分して、規則正しく往来するだろう。知子が押しかけていこうが、涼太との裏切りを打ちあけようが、それくらいのことで、慎吾の習慣が乱されるわけはないのだ。

八年の歳月の、長さと重みの意味を、知子は今になって思いしらされた。歳月に綯《な》いからまれた習慣は、断ち切る努力をするよりも、そのまま巻きこまれていく方が、はるかに安易で楽なのだ。力尽きたように涙ぐみながら、知子は、すでにじぶんの心も、安堵の倦怠感になかば満たされかけていることに気づいてぎょっとした。

知子の出した和服に着かえ、締めなれたへこ帯を腰ひくに、たっぷりと巻きつけた慎吾と、夫婦湯呑みで、茶を汲みわけ、向いあっていると、掌に挾んだ茶碗のぬくみのような、肌なつかしいあたたかな、こうした時間は、これからも無限につづいていくような気がしてくる。

慎吾の態度がどうであろうと、何《いず》れは別れていかなければならないと思う、知子の心の奥底の想いは、執拗に根を張りつづける。すると前よりいっそう、慎吾との時間が惜しまれ、心を尽して、慎吾によりそっていくように見えるじぶんの心が、不思議だった。

恋のはじめのように、ぴったり肩をならべ、日の高いうちから散歩の足をのばしたり、駅前の喫茶店に若いものどうしのように入ったり、縁日をひやかしたりすることも、かえって前より繁くなっていた。

同じような年輩の男は、たいてい会社に出かけているか、店を守っている時間に、ぞろっとした着ながしで、いかにも閑人《ひまじん》らしく女づれで歩く慎吾は、路上に目立った。

知子がまた、玄人《くろうと》にしては垢ぬけないし、素人《しろうと》にしては、低すぎる位置の、帯の結び目も粋《いき》に崩れすぎていて、やはりどこか人目をひく。

売れないまま、三十年余も小説を書きつづけてきた不運な男と、そんな男の不幸にわれから心身をどっぷり漬けこんで、染色で身すぎをしている三十代も終りの女から滲みだすものは、身のこなしにも雰囲気にも、どこか堅気らしくない異様さがあるのだろうか。それともそうしたふたりが、一対に並んだ雰囲気に、異様な色気がただようのか、よく、すれちがいざま、人に見つめられたり、ふりかえられることが多い。

知子はその都度、わざとすました顔を正面にむけたまま、慎吾にだけ聞きとれる声で、

「ほら、今の人、あたしの帯にふりかえったのよ」

とか、

「むこうから来る奥さん、赤くなって慎のこと見ている。ほら、ほら、そんなにいい男かな」

他愛もないことをいって、慎吾を苦笑させ、散歩にはずみをつけるのだった。

慎吾はそんな人の目からも、また、道路いっぱいに巨きな図体を傾けて通過するバスやトラックの砂埃からも、知子をかばうようによりそい、無表情の長身を音もなく運ぶ。

その日もそんな散歩のため、表に出ると、路地の入口で、いきなり、ひとりの女に小腰をかがめられた。反射的に礼をかえしてしまってから、漸く知子は、その女が、知子の下宿の路地の入口にある、黒い板塀の家の女だと気づいた。

いつか、下宿の大家の気のいい嫁が、女の元ダンサーだった経歴を話し、

「今は、お妾さんなんですよ」

と、口をすべらせてしまって、知子の顔からあわてて目をそらし、気の毒なくらい赤面したことを思いだした。

大通りへ出てから、知子は女があそこで、何をしていたのだろうと思った。腕をスカートの後ろに廻して組み、自分の家の前の道ばたに立って、女は自分の家を、正面から眺めていたとしか考えられなかった。

「あの家ね、今女のいた……」

珍しく慎吾の方から話しかけてきた。

「昨日俺が通りかかったら、あの女が、塀を雑巾でふいているんだ。それがね、子供が、バケモノヤシキって落書したのをふいているんだよ」

知子は慎吾と声をあわせて、ひくく笑い声をもらした。育ちの悪い見越の松が、朽ちかかった門の上に貧相な枝をのばしているのが、かえって惨めったらしい感じの、それは全く古びた、陰気な平家だった。

それから二日後、路地の入口の女の家の取り壊しが始まった。女は昨日のうちにひっそりと越して行ったという。知子がここに棲《す》みだして以来、一言も口を利いたこともない女と、女の居なくなる前日、黙礼をかわしたことを思いだした。あるいは女は、別れの挨拶のつもりであったかもしれない。フロリダのナンバーワンだったという女の過去が信じられないほど、地味な感じをうけた女の顔を思いだそうとしても、蒼白く、広い額だけしか浮んでこない。

こういう生活の変えかたもあったかと、知子は妙に心に沁みる感懐で、しばらく路地の入口で立ちどまっていた。

見るまに叩き壊されていく朽ちた板塀の下に、おびただしい紫苑《しおん》の花群が押し倒され、水色に撩乱《りょうらん》と、地を彩《いろど》っていた。

慎吾の妻が、慎吾に留守をさせておいて、こっそりじぶんに逢いに来てくれはしないかという、奇妙な期待につつまれることもあった。ふたりで力をあわせて、慎吾を海辺の家にとじこめるようにしましょうという、慎吾の妻の口調が聞えてくるように思う。

知子はその時、慎吾の妻と、誰よりも深く理解しあえるような気がしていた。

八年間、慎吾を中にはさんで、奇妙ななれあいの関係をつづけた女同士の、切実な吐息が聞えるようであった。同時に、そんな空想がかき消えた後には、慎吾に対し、憎しみはおろか、別れのきっかけさえ摑《つか》めない知子は、その分までこめて、徹底的に慎吾の妻ひとりを憎みたくもあった。根が楽天的な知子には、とうてい人を三日とつづけて憎む情熱も、根気もなかった。慎吾の妻の訪れを待つなどという甘い期待も、もとよりみごとに裏切られた。

またしても、月日ばかりが、膠着した関係の中を、す速くすりぬけていく。

慎吾の妻から、その電話がかかってきた時、慎吾は珍しく、知子の部屋から旅に出ていた。いつとはなく、知子の部屋を、東京の仕事部屋にしていた慎吾に、めったにない仕事が訪れた。それは、信州へ、ある詩人の遺跡を訪ねることだった。

交換手のだるそうな節をつけた声が、海辺の町からの電話だと告げた時、知子は反射的に右掌で送話口を押えていた。動悸が高くなっていく。

これまでも、慎吾の妻からの電話は、珍しいわけではなかった。都合のいいことに、その町からの電話は、ダイヤル直通ではなかった。

知子が受話器を取りあげた場合は、交換手の声を聞くが早いか、送話口を掌で押え、

「早く！　早く！　あっちからよ」

けたたましく、慎吾を呼びたてる。そうしておいて、知子はいそいで台所に立ってしまったり、ゆきたくもないトイレに入ったりして、電話の終るまで遠のいている。エチケットからとい

った上品ぶった意味合いではなく、感覚的に、妻と話している慎吾のそばにいたくないのと、じぶんが居ては、慎吾の返事もはかばかしくは出来まいという思いやりのためだった。

たまたま、直接、慎吾が妻からの電話を受ける場合もあった。そんな時は、二言、三言、慎吾が受け答えしてしまうまで、つい知子も気づかないことがある。ふっと、慎吾の口調に、他人には決して使わない命令的なひびきや、投げやりな調子を感じると、いきなり背中を突きとばされたようなあわてかたで、知子は座を立つのだった。

その時、知子に、それと気づかせた慎吾の口調が、知子に向って使われるのと、全く同じものだったと気づくのは、電話が終って、およそ半時間もすぎた後だった。

おかげで知子は、八年間、慎吾の妻の顔を見たことがない上に、声さえ、聞いたためしもなかったのだ。

交換手の声の後には、潮騒のような音がじいじい伝ってくる。耳が痛いほど、受話器を押しつけながら、知子はまだ、心を決めかねていた。慎吾の妻の声を聞きたい、止み難い好奇心と、逃げだしたい、本能的な嫌悪が交錯し、神経が上ずってきた。

ついに相手が出た。

「もしもし」

張りのある、やや高い声だ。反射的に、知子は小学生のような律義《りちぎ》な返事で応じていた。

ひたっと、向うの声が止った。相手の狼狽《ろうばい》の気配が、重い沈黙の底から、不気味なほどなまなましく感じられてくる。いつもの通り、慎吾の声がすぐ答えるとばかり思っていたにちがいなかった。

「あの……相沢さんのお宅でしょうか」

堅い声が、切口上に聞えてきた。

「はい」

「小杉です。小杉は居ませんの」

「昨日から、急なお仕事で、信州へ御旅行中なんです。明日お帰りになるそうです」

慎吾に向っては使ったことのない敬語が出て、知子を苦笑させていた。なるほど慎吾はこの電話の女の夫なのだ。

「そう……困ったわね」

声の調子が、急になげやりになった。相手は、知子を手伝いの少女とまちがえたらしい。週に三回、近所の中学を出たばかりの少女が通って来ていることを、慎吾は妻に話している筈であった。妻が着せてよこした新しい化繊のワイシャツを、少女が不用意に、アイロンで焼きぬいたことがあった。

知子の声は不断でもそうだが、受話器を通ると、いっそう疳《かん》高くなり、少女とまちがえられることは珍しくなかった。

「それじゃ、帰ったら伝えてくれます？　故郷《くに》の姪《めい》が病気で入院したんです。そっちからお見舞買って送るよういって下さい」

慎吾の故郷の家には、揃って若死した兄夫婦が残した娘が一人、慎吾の老母を守っている事情を、知子も、いつとはなく聞き知っていた。慎吾がその姪に両親の病気の現われるのを、神経質におびえていた事情ものみこんでいる。

「わかった？　もう一度いいましょうか」

「わかりました」

慎吾の妻は、いっそ、病院の住所もひかえてくれといった。相手が少しずつ、句切って、ゆっくり告げる、東北の盆地の町の住所を、知子は一々、おうむ返しに反覆しながら、鉛筆を走らせた。

そのうち、相手の声の調子が乱れ、あきらかに震えを帯びてきた。

「ゆうき病院内……ゆうきは……」

「紬のゆうきですね」

ふいに、今までの調子とがらっと変った気丈そうな声が、強く、とがめるようにひびいてきた。

「あなた、相沢さん？　相沢さんね」

「はいそうです……申しおくれてしまいまして」

一瞬の不気味な堅い沈黙の後、どちらからともなく、受話器の中に笑い声がこもった。妙にしんねりした、はずまない笑い声が、だらだらつづいた。知子が声は笑いながら、目は怒った表情を光らせているように、慎吾の妻も、どんなきつい表情で笑い声をたてているのか、しれたものではない。

笑い声の消えた後には、ひやりとしたものが残った。用件だけ追加すると、電話は向うから切れた。

見舞品は、クッキイと、かわいいネグリジェがよいだろうといった。

デパートで、若い娘のネグリジェを、ひとり選ぶ慎吾の姿を目に描き、その背に向って、知子はかってにするがいいやとつぶやいていた。

受話器を置くと、咽喉が乾きあがっていた。

水をのむために、足音をたてて知子は台所へ走りこんでいった。

信州から慎吾が帰ってくると、知子はせきこんだ調子で、電話の件を話した。

「あたしが出たわ、仕方なくって」

表情の少い慎吾の顔の皮膚に、珍しく、薄い血が上った。

「何だって」

気弱そうな目を柔げた慎吾の口調には、媚《こ》びるような響きがあった。妻から託された要件を告げ終っても、知子は口をとざさなかった。

「ときちゃんと間違えてたのよ。途中で気がついたようだったわ、何だかおかしくもないのに、ゲラゲラ笑っちゃった。いっしょに」

慎吾も声にはせず、困ったように笑った。

「この間行った時、なぜあたし、逢わずに帰ったのかしら、あの人に逢うのが目的でいったのに——最後まで待って、逢ってくれればよかったんだわ。慎はどうして、そんなにあたしたちに逢われるのが怖いの」

「べつに……怖くなんかないさ」

「だって、ひどくびくびくするじゃないの、この間だって、逢わせまいとして、気をつかってたわ」

「逢いたけりゃ、逢えばいいさ」

不貞くされるというのでもない。まるで無抵抗な慎吾の、のらりくらりとした答えには、知子の単純な神経はたちうち出来ない。

「聞いてごらんなさいよ。向うに帰って。あっちでも、だんだん今頃、気持悪くなってると思うわ」

じぶんの心のうちを、そんな形で知子は云いあらわしていた。

八年めに、ついになまなましい慎吾の妻の声を聞いたということ、それ以上にふたりで声をあげて笑いあったということは、この情事の中では、まったく感度の鈍くなっている知子にも、さすがに強いショックを与えた。以前、慎吾が不用意に置き忘れた、慎吾あての妻の、思いがけず、若々しい情味のこもった手紙を読んでしまった時以上に、知子はなまの女の肉体を、皮膚で受けとめたような気になった。

そんなある日、知子は思いがけない涼太の電話を受けた。駅前の喫茶店にいるという涼太のもとへ、知子はためらいがちに出かけていった。

おだやかな出逢いなど出来ないような、激しいけんか別れをしたのも、二カ月前で、その勢いにかられて、知子は海辺の家へ乗りこんでいったともいえるのであった。

窓ぎわのボックスで、涼太はおとなしい恋人のように待っていた。

「引越しました」

他人行儀なことばで、折目正しく涼太がいった。電車で一駅さきの住宅地にある、ふたりだけの秘密の部屋からという意味だった。その六帖の節穴の多い天井も、煙草の焼け焦げの跡も、窓硝子に映る柿の嫩葉《わかば》の影のきらめきまで、知子にはその部屋での涼太との時間の中で、じぶんの部屋ほどに馴染みの深いものになっていた。

二カ月前から、つとめて目をそらせてきたそれらの記憶が今、涼太のことばで、一瞬知子のうちによみがえった。するとそれらは、ふいに、思いがけない鮮明さで、その部屋での知子の放恣《ほうし》な肉の記憶をよびさました。

知子はあわてて涼太の顔から目をそらした。涼太があの部屋を出たということは、ふたりの情事の終末をことばでなく、行動で実証してみせたことになる。

「そう……よかったわね……」

知子はさりげない声が出たと思った。

せめて、涼太だけでも、じぶんたちの奇妙によれからんだ、醜い関係からぬけだすことが出来てよかったという、素直なよろこびが湧《わ》いてきた。

今度の下宿は、ここから一時間もかかる下町の学生下宿に毛の生えたようなもので、女人禁制が契約条項の第一条だと、涼太は顔に少し皮肉な微笑を浮べていった。

「ぼくは間違っていたようだ。あなたをあの奇妙な関係からひっぱりだせると思っていたのが思い上りだったと、ようやくわかった気がする。お互いに傷つけあっていただけだった。結局は、ぼくのひとり相撲で、あなたはちっとも変らなかったんだ。あなたたちかもしれない」

「そうかしら」

喫茶店の窓外を電車が通過する度、線路ぎわのその部屋は轟音《ごうおん》につつまれ、ふたりの会話はとぎれた。

涼太の瞳が茶色に柔かく輝くのを、知子はある種の感動をもって眺めた。涼太が今、一年のふたりの秘密の時間を、撫《な》でるようななつかしさで思い出しているのが感じられた。

「慎のうちへあたし訪ねていったの」

「…………」

涼太の顔が信じられないと驚きを示した。それからふいに、酔がまわったようなす早さで顔中に血が上ってきた。つりこまれて、知子もせきを切ったように饒舌《じょうぜつ》に話しはじめた。

「それで？」

知子の話の終るのを待ちかねたように、涼太は訊《き》いた。

「それでって」

「だから、それから後、どうなったかっていうことですよ。まさかあなた、お喋《しゃべ》りだけするために、はるばる出かけたわけじゃないでしょう。打ちあけて、話して、それからどんな具体的な話が出たかって聞いてるんですよ」

苛だった時の癖で、涼太は無意識に煙草を二口ずつ吸っては、次のに火をつけていた。

「相変らずなのよ。それが――いままで通りよ。どういうんでしょう。あの人たち……」

「あの人たちって……」

　涼太が後のことばがつづかないというふうに、乾いた唇を、ひくひくさせ黙りこんだ。涼太の表情に、むしろ悲しそうな、優しさがひろがってきた。低い抑揚のない声で涼太はことばを一つ一つ、胸の奥から探しだすようにつぶやいた。

「いったい、あなたは、本当は小杉さんと別れたくなんか全くないんじゃないのかな、どうもそうとしか考えられない。全く不思議な人だ、あなたは外のことでは、人並の思慮判断はあるくせに、どうしてこの問題となると、そんなに意志が失くなってしまうのだろう」

　知子は陰気な低い声でいった。

「慎に面とむかうと、別れ話ができないのは、八年間の生活の習慣よ。愛なんかより、習慣の方がずっと強いものだっていうことが、今度つくづくわかったわ。慎があの人と別れられないのだって、あたしとの生活より、ずっと長い、深い生活の習慣が、あの家や、家族の間に、厳然とあるからよ」

　じぶんが今、涼太にみせた表情の中で、一番老けた、醜い表情をしているだろうと思った。その表情をとりつくろう気にもならなかった。のろのろした声で囁《ささや》くようにいった。

「もう、来ないでちょうだい、まず、あなたから」

　涼太の顔がこわばり、血の気がなくなっていくのを見ながら、知子は席をたった。慎吾に云えないことばが涼太にだとあっけないほどの簡単さでいえるのがわびしかった。

気がつくと、知子はひとり、畑のふちのどぶ川に沿って歩いていた。川の向うに、公団アパートの白い建物が聳《そび》え、ひっそりと午後の陽をはねかえしていた。陽ざしのきらめきにも、アパートにささえられた雲一つない青空の深さにも、もう闌《た》けた秋の疲れがしっとりと滲んでいた。

知子と慎吾が今の部屋に越してきた当時は、アパートのあたりは、外人に接収されたままになった、広大な個人の邸宅だった。

知子の部屋の北窓から、真正面に見えるその邸内には、なだらかな芝生のスロープが丘のようにうねり、英国風の城塞《じょうさい》めいてみえる白い洋館の全容が、小さな窓枠の中に、おさまっていたものだった。

五月のある朝、その窓に顔を重ねて、慎吾と知子は洋館の屋上に目をそそいでいた。肥った外人の男が、鯉のぼりをあげようと苦心しているらしいのが見える。金髪が炎のように燃えてみえる少年が、男のまわりをちょろちょろしながら、鯉のあがるのに気をもんでいた。遠目で、表情などまるっきりわからない筈なのに、親子らしい二人の人影の胸にひびきあう鼓動が聞えそうで、知子と慎吾も息をつめ、赤い鯉の上るのを待っていた。

垂れた鯉の布がだらしない形で、するすると竿《さお》の先にひきあげられていったと、見るまに、三尾の緋鯉が風をのんでふくらみ、まばゆく晴れた青空に、くっきりとならび、ゆるやかに泳ぎはじめた。

少年がむちむちした椛《もみじ》色の短い腕をふりあげて、竿の下をはねまわった。金髪が冠のように陽をはねかえした。知子と慎吾は呼吸をあわせ、今、互いの胸に通いあう、静かな感動をたしかめていた。

目の前に、洗濯物に色どられた、殺風景な公団アパートの窓々を見上げながら、知子は記憶の中に鮮やかに生きていた、五月の晴れた日を思いうかべていた。

心の襞《ひだ》の中には、そんな、鮮やかな慎吾との時間が、まだ無数にたたみこまれているような気がする。古風な白い洋館はアパートになり、あの屋上に鯉のぼりが泳いだ風景を、二度と呼びもどすことが出来ないように、慎吾との長い時間は過ぎてしまったのだという実感が、知子の胸にせまってきた。

このどぶ川ぞいの道はまた、涼太と馴染んだ場所であった。涼太の部屋からの帰り、涼太は必ずここまで送ってきた。川ぞいの道から、知子の部屋の建っている高台の崖下まで、およそ二千坪ほどの畠が旧市内には珍しくひらけていた。

遠く畑ごしに、崖の上に高く知子の二階の部屋が塔のように見える。まれには窓に燈がにじんでいることがあった。そんな夜は、慎吾がひとり留守している時だ。抱きあった涼太の肩ごしにその燈を見ると、知子は背骨を炎の羽で撫であげられるような、戦慄《せんりつ》を覚え、涼太の背肉に爪をたてるのだった。

涼太に唇をあずけながら、目は燈に吸いよせられ、心は燈のかげの慎吾にむかって震えている。からだに気をつけてという、いつもの涼太の別れの囁きを背中で聞き、こらえ性のない駆け足になって、慎吾の許に一散に走りだすのだ。

知子は足元に目をおとしたまま、あやうく声をあげかけた。涼太との情事を支えてきたものは、慎吾に裏切りの秘密をかくしているという、恐怖と背中あわせの、ときめきではなかったか。慎吾に打ちあけてしまった今となっては、もうあのスリルと陶酔は永久に戻ってはこないのだと、知子は今、さとった。

本当にひとりになりたいという願望が、知子の胸にふきこぼれるようにつきあげ、それは涙のかたまりになって、両眼からほとばしってきた。


そうした日々の間にも秋はしだいに深まっていった。

知子の部屋でも冬の支度だけが確実に着々と進められていた。慎吾が海辺の家に帰っている日は、知子は終日、慎吾の冬衣裳の整理に没頭していた。具体的な別れ話が何一つ云いだせないもどかしさを、知子は別れの支度に実質的に手をつけることで、ごまかしていた。もう洗いにだす慎吾の下着もなくなってしまった。いきなり、慎吾の衣類を海辺の家に送りつけてもいいようになっている。そのくせ、相変らず、別れ話は一向に進展していない。

これまでの知子は、慎吾と一つの部屋にいても、まるで慎吾は空気にとけこんでしまったように、透明な存在になって、神経の負担にならなかった。むしろ、その部屋に慎吾がいるということが、心の安らぎになり、知子は慎吾に背をむけたとたん、安心してじぶんの仕事の中に没入していけた。

ひっそりと、息をひそめたような慎吾の立居振舞に、変ったところは何一つない。かつては無言の支えと励ましになっていた慎吾の静かな存在が、今はそのまま、重苦しい圧迫となってのしかかってくる。

終日、机に向っても、何一つ構図のまとまらない絵筆を畳に叩きつけ、知子はわっと泣きだしてしまう。

「どうしたんだ」

おだやかな慎吾の声に、知子はいっそう身もだえして、泣き声をふりしぼりながら、

「空気が足りないのよう。息苦しいのよう、この部屋」

ヒステリックにわめくのが、せいいっぱいだった。

「慎吾があたしの分まで空気を吸ってしまうのよ。息がつまっちまう」

それは知子の胸の底からしぼりだす訴えだったけれど、慎吾は動じないおだやかな声でなだめるのだ。

「運動が足りないんだよ。散歩しなきゃだめだよ。また便秘しているんじゃないのかい」

ある朝、知子はひとりで旅に出た。慎吾はいつものように、昨日海辺の家に帰り、三日間は妻の許にいるはずであった。

押入れにも、簞笥にも、別れの支度の整った部屋で、慎吾を待つ状態が、知子をこれ以上堪え難くした。

行き当りばったりに、知子は日光行きの電車に乗った。何の面白味もない単調な平野の中を走っていると、知子はじぶんの神経が、疲れきっているのがしみじみわかってきた。

沿線はどこまでいっても、黄金色の稲の海で、もう方々で稲刈りがはじまっていた。

秋がこんなにも闌《た》けていたのかと、知子は車窓に額をおしつけて、単調な眺めに飽きもせず、目を凝らしていた。小川のほとりに、空中に群れて流れているとんぼの列が、まるで赤いセロファンの紐《ひも》をのばしたような鮮やかさで、一瞬目の中を横ぎっていった。

季節の歩みにも風景の装いにも気づかず、ただ重苦しい情事の終りの予感の襞《ひだ》の中にだけ心をのめりこませてきたこの二、三ヵ月が、とめどもない長さのように思いかえされてきた。

昏《くら》い杉並木を横に見て、がらんとした日光の駅に下りたつと、東京にはなかった冷気が肌に沁みてきた。同じ電車から外人の観光客が何組も降りた。はじめての土地だったが、東照宮を見る気はなく、知子はすぐ駅前からバスに乗った。出発前、案内所で教えられた奥日光の白樺林の中のロッジへ、直行するつもりだった。

バスは思いの外客が少かった。バスが上るにつれ、車窓には炎のように紅葉が燃えさかった。つづら折りの道を目まぐるしいほど曲る度、変った展望がひらけ、その度、豪華なペルシャ絨緞《じゅうたん》を一枚ずつめくって見せられるような鮮明さで、山を飾る紅葉の織模様が変幻していった。

中禅寺湖のほとりから、客は次第に降り、ロッジの入口の広い道路で、知子がひとり降ろされた時には、もう二、三人しか残っていなかった。

道の両側は銀灰色のすすきが海のように広がり、その中に、竜胆《りんどう》、女郎花《おみなえし》、藤袴《ふじばかま》、松虫草、吾《われ》亦紅《もこう》などの花々が風にふるえていた。

すすきや花をきらめかせながらふきわたっている風は、秋風というより、もうすでに冬の、硬質な冷たさと光をたたえていた。すすきの海のむこうに、男体山《なんたいさん》がどっしりと澄んだ高原の蒼空を支えていた。

あたりは人っ子一人通らない。森閑とした静寂の中に、時々思いだしたように小鳥の声がひびいた。すすきの海の中に白々とはてもなくのびているアスファルトの道の真中に、ぽつんと突っ立っていると、ふと、じぶんが死場所を求めて来たような錯覚にとらわれてきた。それは思いの外、甘い、心のほころびるような感傷だった。

白樺の林の中の小さな北欧風のホテルでは、煖炉に薪が赤く燃えさかっていた。

客はここでも意外に少かった。一人客は知子だけだった。知子の目には、ひっそりと、テーブルに向いあっている二人連れが、どれもみな、いわくつきの情事のカップルのように見えた。

彼等ははじめに自分の席を決めると、いつの食事の時でも、その席についた。

煖炉に一番遠い窓際のテーブルの一組が、中でも知子の目をひいた。十六、七歳としか見えない美少女と、大学教授タイプの男の一組だった。黙っていると、神秘的なほど美しい少女は、物の食べ方や喋り方が卑しかった。笑い声がすき透った美しさなのに、笑顔に品がなかった。

男は、食堂に来る度、折目正しく、外国人のように少女の椅子の世話をやく。男が少女の後ろに廻り、椅子に手をかける度、少女がたちどころにとり澄まし、優雅に腰を上げ下ろしするのが、何かの儀式を見るようで、異様に美しい。その瞬間の少女の生真面目な表情に、光のさすように誇りが浮ぶのが、目を撃たれる清らかさであった。

知子はそのホテルに四日いた。食堂に出る度、客の顔は変っていた。少女の組と、知子だけが動かない。

三日めの朝、知子は慎吾にあててようやく手紙を書いた。

「とつぜん思いたってこんなところに来ております。もう一週間もいたような気がしますけれど、まだ三日めの朝です。軀がとけてしまいそうに眠ってばかりおります。静かです。人と来れば死にたくなるのではないかと思われる静かさです。

何も考えられません。

ただお目にかかってはどうしても云えなかったことを書ける気持になりました。

やはりお別れさせて下さいまし。そうしたところで、先に何の自信もあるわけでもないのです。けれどもこのままでは、やはりいけないのではないでしょうか。あなたを失ったこれから先を想像しただけでも、足の萎《な》えそうな気持です。けれども試みてみるのが義務だと思うのです。たとい涼太の愛を利用してでも。おふたりでお力を貸して下さいませ」

読みかえさず封をした。宛名に慎吾と、妻の名を並べて書いた。

速達は、もっと上の湖のほとりの郵便局までいかねばならないと聞いて、知子はその湖までバスにゆられていった。

小さな湖の底にも、紅葉《もみじ》の炎がゆらめき沈んでいた。

青いペンキ塗の郵便局の窓口へ、手紙をさしだしてしまうと、知子は逃げだすように湖畔の道をホテルへ引きかえした。バスを待たず、やみくもに歩きだした。歩くという行為で、そのまま坐りこみたいような、自分の中の疲労と悲哀から目をそらしていたかった。

四十分ほどかかってホテルに帰ると、玄関から救急車が走り出すのとすれちがった。

異様なざわめきがフロントにもロビーにもみちていた。もうすっかり馴染みになった売店の小女が、紺絣《こんがすり》の丸い肩をすりよせてきて囁いた。

「心中したんです」

「………」

「あの、ふたり」

少女と紳士の二人連れだと教えた。朝食にもあらわれないので、ホテルで気づいた時は、もうこときれていたのだという。

「千二百円しかお金持ってなかったんですって。計画的だったたんですわ」

モルヒネの注射を用い、死顔は二人とも美しかったという。

その翌日、知子は山をおりた。

次の日の午後、新聞広告を頼りに、知子はアパートを探しに出ようとした。

山でたどりついた結論として、知子は、とにかく慎吾との生活の沁みついたふたりの部屋から、出ていくことだと考えていた。

バス停留所の方へ向っている一本道をいく知子の目に、向うから、つんのめるようにして歩いてくる慎吾の姿が映った。瞬間、知子はぞっと、背筋が冷えた。幽鬼ということばが、とっさに知子の頭にひらめいたほど、不気味な鬼気が慎吾の全身をとりまいていた。慎吾の顔は、これまで知子が見たこともないような、険しい昏い表情に硬《こわ》ばっていた。通行人の目にも、慎吾の異様さが映るらしく、不気味そうに、横目でみてさけて通ったり、ふりかえったりしている。瞳が宙に据わり、衝突しそうな目前に迫ってきても、知子を認めた気配もない。

そんな慎吾の姿に、知子は全身に針を刺されるような痛みを感じた。体当りで受けとめるように知子は慎吾の前をさえぎって立ち止った。

「どけっ！」

吐きだすような声でいった。そんな激しい怒声を、知子にも他人にも浴せるのを、一度だって聞いたことはなかった。憎悪と怒りのどす黒くあらわに出た、そんな顔を見るのもはじめてであった。

恐怖をおしこらえて、知子も硬ばった醜い表情になっていくのが自分でわかる。

「どうするの」

「旅行にいくんだ」

「手紙ついた」

血走った慎吾の目に唾でもはきつけそうな軽蔑の色が出た。

「見たから来た。何だ！　涼太を利用してでもとは！」

「…………」

それだけの会話でも、汚物をのみこんだような慎吾の胸の、浄化作用にはなったのか。

「逢わないで行くつもりだった」

という声には、いくらかやわらぎがかえってきた。

「よかったわ……逢えて……」

「バスが故障で、十分くらい立往生した。もし、遅れずに着いていたら、行きちがってたな」

声はいっそうなごんできた。それでも顔の陰惨な影はとれない。

旅に出る慎吾の服も、旅行かばんも、知子の部屋にあったのだ。

慎吾と並び、当然のように知子はじぶんの部屋へ引きかえしていった。

急に力が抜けたように、慎吾は足をもつれさせ、二、三度危っかしくよろめいた。人目も忘れ、知子はあわてて、慎吾の脇に腕を通した。

知子の部屋で、知子は洗濯屋のビニールの袋から、洗いあがっているチャコールグレイの背広をひきだして着せた。別れる支度のため、この服も、着せないつもりでしまいこんでおいたものだ。

知子は、かばんに、旅の支度をこまごまとつめながら、突きあげてくる恐怖と闘っていた。今、旅に出したが最後、慎吾は永久に帰って来ないのではないだろうか。山のホテルで心中した男の姿が浮んでくる。あんな切羽つまった表情の慎吾を、慎吾の妻はなぜ、ひとりで出すことができたのだろう。

支度が出来ると、知子は慎吾の後ろからついて出た。

「行くのよしたら」

と咽喉までこみあげてくることばを辛うじてのみこみ、かわりにいった。

「送っていくわ」

「どこまで?」

慎吾の声に、いつもの甘い響きが滲んだ。その雰囲気につりこまれないようにと、知子の意識が働いた。それが慎吾の要求を無限に聞きいれようとする知子のこれまでの感情の習慣とこぜりあっている。

「東京駅まで」

じぶんにいい聞かせるつもりだった。慎吾は急に頬をゆるめ、

「まだ早いな、酒をのんでいこう」

と知子の肩を押した。突然に、いつもの慎吾の顔と声にかえっていた。すると、さっきまで慎吾の軀に充満していたどす黒い毒素が、そっくり知子に移しこまれたような感じがしてきた。急に疲労を感じ、今度は知子の方が足をもつれさせた。あわてて慎吾の手が支えてきた。

東京駅へついた時は、燈の色がすっかりきらめきを深めていた。

ラッシュアワーがすぎた直後の駅の構内は、だらけた、けだるそうな表情があった。人々は誰も、何かに背中を追われているような、気忙しそうな動作で、せかせかと慎吾と知子の周囲をすりぬけていく。

「どこへ行くの？」

「行けるところまで」

慎吾は投げやりな調子で、京都までのキップを買った。西へ行く列車は、その時間からは、いくらでもつづいていた。

もうすることもなかった。改札口のホールの真中に突っ立って、知子は慎吾を見上げた。人々の流れは大きな川になって、絶え間なく二人のそばにあふれていた。流れに洗われる石のように、二人は身動きもせずみつめあっていた。

「行く？」

「………」

慎吾の目の中に、知子にだけ読みとれる脅えの色を認め、知子は酔のまわってきた胸の中に、ほぐれてくるものがあった。いつもの優しさのこもった声で知子はとうとういった。

「今夜、よしておく？」

酔のためいっそう蒼白んだ慎吾の頬に、目立つほどす早く、血の色が上った。

「いっしょにいてくれ、今夜だけでもいい」

低い囁きは、人々の足音の中に、ほとんど愛語のような甘さでこもった。

駅の隣のホテルには、ツインベッドの部屋が一つだけ空いていた。

広い部屋はホテルらしくない家庭的な調度で飾られているのが、疲れた神経を和《なご》めてくれた。

知子は、長い旅のはてにたどりついた旅人のように、急に疲れの滲みでた表情で、ものもいわずソファに身を沈めこんだ。

慎吾はようやく生気をとりもどしたような顔付になり、ボーイにブランデーを運ばせたり、スタンドの燈を調節したりした。慎吾はすることがなくなると、だまって知子の足元にうずくまり、膝に顔を埋めてきた。

「ありがとう」

「どうしてそんなことというの」

知子は慎吾の頭に顔をふせると、堰《せき》をきったように激しく泣きはじめた。

慎吾とわけもった八年間の想い出が、数えきれないおびただしさで、知子を押し流すようにあふれてきた。愉しさよりも、慎吾とわけあった苦しさと悲しさの記憶が、切実ななつかしさだった。人間が死ぬ前の一瞬に、生涯の幻を見るというのは、こういうことなのだろうか。

山のホテルの心中者の姿が、瞼の裏をよぎっていった。ふと、このまま、慎吾とこの部屋で死を選びたいような誘惑に誘われてくる。

「仕方がないのよ。そうでしょう」

知子はもう何十ぺん心の中でくりかえしたかわからないことばを、しゃくりあげながら、きれぎれにいった。

それぞれのベッドに横たわってからも、話題を見つけるのが恐ろしいようにだまりあっていた。

慎吾の腕がのび、知子の掌をとった。

掌が無数のことばを語りあった。

知子には、じぶんの一言で、慎吾が旅を中止するのがわかっていた。けれどもその一言で、またしても同じ生活の習慣の中へ、一気に引きもどされるのもわかっていた。

気のすすまない慎吾を出発させることに、不吉な予感のおびえがあった。

じぶんが目を離せば、慎吾は死ぬかもしれないという不安こそ、八年間、知子が慎吾に結びつけられていた一番強い絆《きずな》だったのだ。

五十に手のとどく年まで、野心と期待から裏切られつづけてきた慎吾の不運と、不如意の悲惨さは、知子の中では、いつでも慎吾の自殺の幻影と結びつけられていた。

昨日、道路でいきなり発見した慎吾の陰惨な顔こそ、知子が過去、慎吾のどんな不遇や屈辱の状態の中でも、見たことのない絶望の表情だった。

あの山からの手紙が、それほど深く慎吾を傷つけたなら、今こそ、試してみる絶好の機会だという気持が、知子の心の底にあった。

ここを堪えなければいけないのだ。朝まで何とか堪えれば、この危機はすぎる。その時、慎吾の出発にすべてを賭《か》けてみるのだ。

今ほど、慎吾への愛にあふれた時はなかったと知子は思った。それでいて、その至福の愛には肉慾がまじってはこない。慎吾の掌にも肉慾のしめりはなかった。

知子が口を開こうとした時、慎吾が知子の云おうとしたことばをそのままいった。

「少しでも眠った方がいいよ。番をしてやる」

ブラインドのかすかなすきまに、ようやく、ほのかな夜明けのあかるみがのぞいてきた。

その光を目の端に入れながら、知子は瞼をあわせた。そうすることが、今、慎吾の一番のぞんでいることだと思った時には、もうすでに、ひきこまれるような睡りの中におちこんでいった。

旅先の慎吾からは何の便りもなく、日が過ぎていった。

知子は五日めあたりから、もう何ひとつ手につかず、おびえと不安に、心をしぼりあげられていた。

「やっぱり、いってらっしゃい」

「うん」

「あの人もあたしもいないところで、ひとりでせいせいしてらっしゃい」

引止めてくれるのを待ち望んでいる慎吾の心中を知っていながら、すかしたり、励ましたりして、あの朝発たしてしまったじぶんのたくらみの惨酷さが、知子をさいなんでくる。

「じゃ」

とつぶやき、気弱そうな微笑で知子をみつめ、たちまち、突きとばされるように人の波の中にまきこまれ、歩廊の角に消えていった慎吾――。

人気のない林の奥や、淵《ふち》の底に、死体となっている慎吾の幻影が、無数にふえてゆき、折れ重なり、知子の夢の中まで塗りつぶしにきた。

八年間、じぶんを慎吾に結びつけていたものの正体こそ、これなのだと、知子は日一日と、影を濃くする怖れの中に目を据えていた。

不安の極限にきて、明日はもう、恥も見栄もなく、海辺の町へ慎吾の妻を訪ねて見ようと決心した日の午後、慎吾のハガキが届いた。

慎吾を見送った日から、九日がすぎていた。

ぶるぶる震えながら、まるい、小さな慎吾の見馴れた文字が、知子の両掌の中にあった。

山陰地方を歩いている慎吾の足跡が示されていた。

少くとも、このハガキを、生きた慎吾の手が書いたという事実が、知子にわめきだしたいような安堵と狂喜をもたらせた。

見たこともない砂丘に、風に吹かれて立ちすくんでいる慎吾の黒い後姿がくっきりと目に浮んできた。昏く、すでに冬をたたえた日本海が、その背景にどこまでもひろがっていた。

知子はハガキをつかんだまま、畳にころがって、声をあげて短く泣いた。

泣きやんだ時、ハガキを置き、その手で新聞をひきよせていた。

しばらくして、知子の目に、ぎっしり並んだアパートの広告の文字が、鮮明に、冷たく映ってきた。

花冷え

慎吾から電話がかかってきた時、知子は庭で植木屋の作業を手伝っていた。あわててふいた掌に、まだ新鮮な春の土の匂いがのこっている。

「どうしてる」

慎吾のおだやかな声が聞えてきた。

「今、蘇芳《すおう》の木を植えてるの、ぬれ縁の前にほら、ちゃちな槇《まき》の木があったでしょ。あれ、ひっこぬいて……。今朝、駅前の植木市でみつけたのよ。いっぱい、いっぱい、蕾《つぼみ》がついている。千五百円だったわ」

知子は春の陽ざしの中の肉体労働で、体中の細胞が暖くふくらんでいる快さから、声にも弾《はず》みがついていた。

知子にはむこうの電話口で、知子の新しい家の、人ひとりがやっと通れる、庭とも呼べないような縁先の空地を、大きな目の中に、思い描いている慎吾の表情がくっきりと浮んでくる。

「バラ植えた話はしたでしょ」

「いや……しらない」

「あらっ、そうだったかしら」

そういえば、慎吾の声を聞くのは半月ぶりだったかと、知子ははじめて気づいた。同時に、さつきからの電話のじぶんの口調が、あの状態の頃と、一向に変っていないことにも気づかされていた。

あの頃――妻子のある慎吾が、知子の部屋で月の半分以上も暮していた時には、知子はよく、慎吾の家のある海辺の町から、慎吾の声を聞いた。明日はもう、慎吾がじぶんの部屋に来るとわかっていても、知子は慎吾の声を聞くと、早口にせきこんで、慎吾が知子の部屋を去って以来の、身辺の出来事のすべてを、洗いざらい告げずには気がすまない。

仕事にしている染色の、とくい先をしくじった話、下宿の大家のぜんそくの発作、新しく買ったショールの色、区民税の督促状について……一通り喋りつづけて、知子が一息いれると、たいてい、

「じゃ、後に人が待ってるから……あした行く」

電話は慎吾の方からきれた。その時になって、いつでも知子は、じぶんの状況報告ばかり一方的にして、慎吾の方については、何ひとつ聞かなかったことに気づく。知子にわかるのは、知子も行ったことのある慎吾の町の、駅前の売店の赤電話の横で、次の人に電話をゆずった慎吾が、ピースを二箱買って、左の袖口からそれを落しこんでいる、ひょろりとした姿だった。

そんな時、知子の目に浮ぶ慎吾が、知子の部屋にいる時の、藍《あい》みじんの手織紬《つむぎ》の着物に、青いへこ帯をまきつけているのが、考えてみれば奇妙なことであった。

知子は、慎吾がじぶんの家で、どんな服装をし、どんな茶ぶ台の前に坐り、どの様な茶碗《ちゃわん》で食事をするのか、想像もできなかった。第一、別れ話の出る直前、思いきって慎吾の家を訪ねるま

で、知子は長い歳月の間に、一度も慎吾の住居を見たことがなかった。家族と顔をあわせたこともなかった。最後のそのチャンスにさえ、知子は慎吾の家族とかけちがって逢うことはついにながったのだ。

けれども別れて三月めの今、知子は受話器を持っている慎吾の服装からその姿勢まで、正確に思い描くことが出来る。

今、慎吾は、例の知子になじみ深い紬の着物を着ているだろう。知子と慎吾の生活がしみこんでいるかつての知子のあの部屋の、廊下の隅にとりつけたあの電話の前に、猫背の背をいっそうまるめこんで、受話器を握っている筈であった。

三月前の年の瀬、いよいよ知子が慎吾との八年の生活を清算して、この家に移り住むことが決った時、

「惜しいわねえここ、こんな安くて便利なとこ、またとないわよ。ねえ、いっそ慎たち、あたしのあと、ここへ引越してきたらどうかな」

といいだしたのは知子であった。

大家が次男夫婦を棲まわせるつもりで建てた、そのひょろ高い二階家は、母屋《おもや》のすぐ裏に、全くの別棟になっていて、木口もしっかりしていた。

次男夫婦が突然、半永久的に地方勤めになったため、貸し家にしたものである。クリスチャンの大家は、一家中気が弱く、世間の相場からはけた外れの安い家賃しかつけることができなかった。

旧都心にありながら、その家の崖の下は、二千坪程の畠地が残っていて、奇蹟的な閑静さに恵まれている。それに、慎吾と知子で、無理算段して闇値でつけた電話もあった。

慎吾は表情の少い顔に、珍しくかすかに血の色をうかせ、奇妙な微苦笑を浮べ、つぶやいた。

「さあ……どうかな……」

「おかしいかしら」

「そりゃあ、おかしいさ」

「ふうん……」

知子は不服らしく頬をふくらませた。

夫が情人と棲《す》んでいた家へ、女の出ていったあと、一家で移り棲むということの奇怪さ、不自然さは、さすがに知子にもわかっていた。けれども、知子には世間の道徳から外れた非常識さが、長い慎吾との不自然な生活の中で身についていて、突飛で奇矯な発想をしたり、ちゅうちょもなく生活の中にその考えを実践してしまうところがある。

「でも、仲根さんだって、あたしのあと、また変な人に入られるより、慎に残ってもらった方が安心じゃないのかしら」

「そりゃあ、そうかもしれないな」

大家の仲根家は、知子が入る前、愚連隊の一家に、それと知らず貸してしまい、散々手古ずった苦い経験を持っていた。それ以来、極度の店子《たなこ》恐怖症に犯されている。

そんな仲根にとって、知子たちはまたとない店子であった。慎吾と話しているうち、知子は次第に、仲根はじぶんが説得してしまえる自信が湧いてきた。するといつもの暢気《のんき》で独断的な空想が翅《はね》をひろげ、慎吾の家族がじぶんと入れかわりに、ここへ移って来ることが、いよいよ何の不自然もないことのように考えられてきた。

「要するにあの人の気持次第ね」

慎吾の妻さえ、この案に賛成したら、この計画は成立するのだと、知子の空想はそこまで結論を出していた。

「ものはためしだわ、とにかくあの人にこの案、相談してみたら」

「うん」

慎吾までがとうとう、知子の計画にいつのまにかひきこまれ、感情のこもった返事をしてしまった。

長い歳月つづいてきた慎吾夫婦と知子との関係を、知子の側から清算しようとした時期の出来事である。それだけに、そんな話を受ける慎吾の妻の思惑は、翳《かげ》の多いものになる筈であった。

その次、妻の許からやってきた慎吾が、知子にだけ読みとれる曖昧《あいまい》な微笑をしながら、口を開くなり、

「来ても……いいってさ」

といった。

「え？」

知子の方が、かえってあわてた不用意な声をあげた。慎吾の妻が、知子の考えた二重引越しに

賛成したというのである。

慎吾が妻の許に帰っている四、五日の間に、知子は不覚にも、じぶんからきりだしたこの計画をほとんど心の中で見放していた。

一人になって考えてみると、この計画の奇矯さだけが目立って、まだこの上、世間の物笑いの種をつくりそうだという世間並の判断も出来てきていた。

慎吾にはじぶんのどんな突飛な発想も、いくつかの屈折を越えて、たちまち受けとってもらえるように、慎吾の考えや行動が、その妻に受けいれられていようとは、知子の想像の及ばないところだったのだ。

知子はふいに、見たこともない慎吾の妻に、ほとんど、肉体的ともいえる親近感を覚えていた。慎吾という一人の男を通して、八年間、互いを意識しつづけてきた二人の女の間では、憎悪や嫉妬の歯車にかけられただけ、鋭く感応しあえる同種の神経が発達しているのかもしれない。少くとも、知子が全く虚心に、この計画を思いついたように、慎吾の妻の方でも、ひとえに生活の便宜上から、その企てを虚心に受けとったのだろう、と知子は感じていた。

慎吾は知子の部屋を名義上の仕事場としているし、一人娘が、春から大学へ上り、都内で下宿していた。そんな慎吾の家にとって、都心への引越しは当然必要な筈でもあった。

夫婦の間で、その問題がどのように検討され、どんな心の紆余《うよ》曲折の果に、知子の提案が採用されるようになったかということには、知子は想像をめぐらせてみようともしない。

これまでの三人の均衡を保つ習慣から、知子はなるたけ、慎吾と妻の生活や会話の上に、想像をめぐらさない習慣をじぶんにつけていた。それは、たしなみや遠慮からではなく、じぶんの傷にふれたがらない自衛本能のようなものであった。

結果的に見て、じぶんの考えが慎吾の妻に素直に受けいれられたということだけで、知子はすっかり気をよくしていた。

知子は慎吾と別れる決心を固めるまでには、慎吾の妻にも内心散々悪態をついたこともけろりと忘れたようにみえた。

その日の午後、大家の仲根に、この計画を打ちあけている時は、慎吾の妻の為に努力している気持に本気でなっていた。

「わたくしの方としては、まことに願ってもないことです」

停年を過ぎて習字の塾を開いている仲根は、膝の上で掌を握りあわせ、短い黙禱《もくとう》を捧げた後いった。更に、

「あなたを前に云い難いことのようですが」

と前置して、これがもし、慎吾の妻が出て、知子が入るというのなら困るけれど、知子が身を引き、慎吾の妻子が来るということは、道にかなったことだから、結構なことだといった。それから急に、世俗的な表情に顔を崩すと、声をひくめた。

「知子さん、いい潮時ですよ。早くあなたも身をたて直されることですね」

知子はそれをそのまま慎吾に伝え、首をすくめた。

「みんな変ってるわね……こんな場合に『道』を説かれようとは思わなかったわ、いったい誰が

一番変ってるのかな」

「仲根さんだよ」

慎吾はこともなげにいった。

そんなことがあって、その年もおしせまった暮の二十八日に、知子は今の家に引越したのだ。

慎吾の衣類や、慎吾の書棚、机などは、そのまま置いて出ればよかった。

大晦日《おおみそか》に、慎吾が妻をつれて挨拶に仲根を訪ねたということを知子は聞いたが、その場面を想像しても、格別特殊な感情もわいて来なかった。そのことに深くこだわるほど、知子の新しい家での生活が落ちついていないせいもあった。

慎吾の一家は、七草が明けるのを待ちかねて、知子の後へ移ってきた。

「二度も立てつづけの引越しだからな、すっかり腰を痛めたよ」

冗談かと思ったら、本当に腰を痛めて、慎吾は二、三日寝込んでいた。

それを電話で聞いた時、はじめて知子は、じぶんと暮した部屋に寝込み、じぶんではない女の看護を受けている慎吾を想像すると、奇妙な気持に捕えられた。知子も慎吾の妻も、生活環境の違った中で、全く新しい感情に不馴れな時、慎吾だけが、住み馴れた場所に寝ているというのがおかしく、慎吾の今の心境を想像すると、知子には はじめて、慎吾の心が不透明なものとなって、理解出来なくなっていた。

去年の秋も深くなってからの頃だった。

長い二人の関係を清算する方法は、二人の生活の習慣のしみついたこの家から、じぶんが出ていくしかないのだと、知子は決心した。

八年間、慎吾の訪れを許しつづけて来た知子には、別れの決心を固めても、慎吾の来訪をきっぱり拒絶する勇気がなかった。

慎吾を裏切り、昔の男との関《かかわ》りを持ってしまったりしていながら、知子は相変らず慎吾への愛と、慎吾との生活の習慣に強く執着している自分を感じていた。

知子の金で借りている知子の部屋から、慎吾を追うという一番簡単な別れの解決が、知子にとっては、じぶんの命を絶つことよりも難しい。慎吾の欲しないことを無意識にさけつづけ、慎吾の心をいたわりつづけてきたことが、これまでの知子の慎吾への愛のかたちであり、習慣であったのだ。別れという土壇場にのぞんでも、知子は慎吾に切りつける刃があるなら、それでじぶんを傷つける方が易しかった。

慎吾の訪れを拒絶するかわりに、じぶんがじぶんの家を逃げだすという方法に気づいた時、知子ははじめてほっと安堵《あんど》のため息をもらした。

知子の方から別れ話を持ち出してからは、知子と慎吾は、それぞれに悩みぬいた。なぜ別れなければならなくなったかを詮索することより、終りには、是が非でも別れなければならないということが、知子には科された刑のように厳然としたものになってきた。いたわりあい、慰めあい、お互いの傷をかばいあって暮してきた慎吾との生活の習慣は、慎吾の妻という一点に目をそむけてさえいれば、湯につかっているようなけだるい快さがあった。

この快さから抜けだすことこそ、知子が果さなければならない義務だと思ってきた。愛しているのだからというのがそれまでの知子の旗じるしだった。それを唯一の頼りに、慎吾との結びつきのはじめが、流れのよどみの渦にまきこまれた落葉や芥《あくた》が、ふと、重なり、もつれあってしまったような、無意味な情事に始まったことには、目をそむけていた。

知子の過去は、いつでも衝動的に事をおこしてしまって、あとから仕様ことなしの理屈づけをしていくという順序で、押し流されてきた。

知子は今、はじめて、流される前にじぶんで意志したことに、じぶんの行動をあてはめてみようという新しい試みをしていた。

思いつめた知子から、移転の決心を打ちあけられた時、慎吾はむしろ、あっけないほどの素直さで、知子の決心にうなずいた。

あまりの抵抗のなさに、知子はふっと、慎吾はこの移転を、これまでの二人の部屋の移転と同様に、慎吾自身をも含めたこととして、考えているのではないかと疑った。

知子はそんな慎吾の出方に、拍子ぬけしたような気持を味わっていた。同時に、慎吾と結ばれて以来、慎吾はいつでも、こんな消極的な受身の応じ方でしか、愛のありかを示してくれなかったような気もしてきた。

知子だけが計画し、慎吾が従う生活の方式が、いつのまに習慣づけられたのか、またどちらから持ちだしたものか、もう見分けもつかないほど、ふたりの間には、生活の垢《あか》がしみそまっていた。

慎吾は二人の間で別れが決定的なものとして語られた後も、相変らず、それまでの習慣を改めようとはせず、妻と知子の間を定期的に往復していた。変ったのは、二人の話題が知子の新居についての話に、次第にしぼられていくことであった。

今度こそ、鍵のかかるアパートのひとりの生活がしてみたいといいだした知子のために、慎吾は、当然の義務のように、自分でも小まめに新聞広告をみて、部屋さがしに出かけはじめた。二人で揃って見にゆく時もあった。

慎吾はその都度、部屋が汚いとか、環境が悪いとか、管理人が気にくわないとかもっともらしい理由をつけて、反対する。

「そりゃ、知子の希望通り、二間、バスつきさ。だけどあんな途中の淋しい道はとてもだめだよ。この間、女がその道で襲われたばかりだといっていた」

とか、

「とにかく陰気なんだ。あんな暗い部屋で、知子がひとり棲めるものか、だめだよ。あんなとこ」

などというのはいいとしても、

「ほとんどの部屋がバーの女で、近所の話じゃ、みんな男が通ってくるそうだ。そんな環境の悪いところは、だめだよ」

と、大真面目な顔付でいうのには、知子の方で失笑してしまう。慎吾のその口調は、自分が知子の許へ通うのは、そういう女たちの許へ男が通うのとは全く性質がちがうと決めてかかっているようであった。

この畠の中の建売住宅の広告が知子の目についたのは、そんな部屋さがしにもほとほと疲れはてた時だ。

慎吾とわけあう一つ床の温みの中から首だけだして、朝刊の土地家屋案内欄を丹念にながめていた知子が、アパート案内の欄がつきた隣に、

「和六、六、四半、台所、風呂美築月賦可」

とあるのをみつけた。価格は百九十万で三十余坪の地付というのも手頃であった。

知子にそんな金があるわけではない。月賦なら何とか払ってゆかれないでもなかろうという所だ。頭金の額も、知子の懐《ふところ》かんじょうには頃合であった。

「これよ、ほら、どう？」

知子は調子づいて、一面の記事に読みふけっている隣の慎吾の脚に、自分の脚をからませていく。

雲一つなく晴れ渡った空の色は、竜胆《りんどう》色に冴えかえっていた。通りすぎる家々の庭先に、山茶花《さざんか》が咲きのこり、鶏が何におびえてか飛びだして来たりする。ゴッホの画面のような畠の畝《うね》の上を、光りながら吹きぬけてくる風には、木犀《もくせい》の匂いがこもっていた。

キャデラックに同乗した不動産屋の専務と名乗るチャップリン髭《ひげ》の小男が、とぼけた表情の中からずるそうな抜け目ない目を光らせて、知子と慎吾の関係を読みとろうとする。

「奥さん、奥さん」

と二言めには、知子に呼びかけながら、知子はその小男が、決して二人を正常な夫婦とみなしていないのを感じとっていた。

慎吾は裸になれば肋《あばら》が浮き、長い腕や脛などには、ほとんど肉らしい肉がなかった。まるで骸骨のような貧相な軀なのに、衣服をつけると、見ちがえるように貫禄がついた。不遇な慎吾にも、数年前、本意でない読物があたって、奇蹟のように金の入った、ほんの短い一時期があった。その悪夢のような時が通りすぎた後には、以前よりもっと凄じい悲惨な月日が待ちかまえていた。けれども慎吾はその悪夢の華やぎの期間に、ようやく一通りの衣服を整えておいた。おしゃれの慎吾は造る時は最高級の物をはずむ。数年たった今も、手入れのいい慎吾の背広もオーバーも、さすが英国の何々という銘柄の高い布地の誇りを失わなかった。

彫りの深い北方系の浅黒い顔に、眉間《みけん》に深いたて皺《じわ》をきざみ、無口に相手の表情を凝視すると、気難しいプロフェッサーのような重々しさと、深刻な情緒が滲みでた。

慎吾の裸の中味を知りつくしている知子には、そんな慎吾の外貌に威圧される、目の前の髭の小男のような表情は見馴れていても、その都度、やはり一種の小気味いいおかしさがあった。

そして結局は、そんな慎吾の外貌に、知子自身、一番惹《ひ》かれて、ここまでついてきたのかもしれなかった。そんな時、知子は、慎吾を引立てる側に無意識にまわり、道化をつとめてしまうのであった。

キャデラックで運ばれていった先は、練馬といっても、埼玉県の県境に近い所だった。

晩秋の晴れた日で、まだ武蔵野の俤《おもかげ》の残るこの辺りには、東京と思えない趣のある藁《わら》ぶきの百姓家が、そこここの森かげにのぞいていた。

バス道路から二百米《メートル》ほど入った畠の真中に、新築の家が一かたまり建っていた。

ちょっと見にはモダンな色とりどりのそれらの家は、型通りのブロックの塀にこせこせと囲まれていた。

まるで人の気配もないような静けさがよどんでいたが、その殆どはすでに人が住まっている。

売れ残りの家を、次々のぞきながら、慎吾と知子は、いつのまにかふたりきりになって、一軒の空家の中に立っていた。案内役の小男の声が、何軒か先の勝手口から、井戸がどうのこうのと聞えてくる。

どうやらこの家は、陽当りは最高の位置にありながら、あまりの外見の不恰好さから売れ残っているらしい。

道路に南面した六畳二間は、いっそ無い方がましなちゃちな半間床のついた和室と、節だらけの板で床を張った洋室だった。その外に、セメントで張りだした、青写真にすればテラスと称するものがある。

タイルの風呂場と、はばかりのゆったりしているのがせめてもの取柄だろうか。

知子はさっきから、思いがけず、一種の感傷におそわれ、何時に似ず無口になっていた。

「もし、ここへ来るとしたら、どうする？　ひとりじゃ暮せないだろう」

埃っぽい部屋の真中に立って、煙草に火をつけながら慎吾がつぶやいた。

知子の心の中を見とおしている慎吾の声音だった。

「何とかするわ、住みこみのお手伝いを田舎に頼んでおく」

その口調は、慎吾に答えるというより、じぶんに云いきかせるように聞えた。

陽の当る硝子戸を、いっぱいに開け放ち、澄明《しょうじょう》な秋の午後の陽光を、家中にあふれさせながら、知子は不思議に、じぶんが今、昏《くら》い海底か、蕭条とした荒野の真中に、ひとり、置きざりにされているような、心の寒さとひもじさを感じてきていた。

がらんとした、埃っぽい空家でも、人が棲みつき、所帯道具が収りさえしたら、結構、にぎやかな、人なつかしい空気にみたされて来ることを、知子は過去の数多い引越しの経験から承知している。

けれども、八年前から、知子は、慎吾の来ない自分の部屋をもう想像出来なくなっていたのだ。

慎吾がひとりで、アパートの空部屋をみて帰る度、どんな高級アパートから帰ってきても、一種の怒りをこめて、あんなところに棲ませられないと、云いつのった気持がはじめてわかるような気がしてきた。

知子には突然、慎吾と暮した過去の様々な部屋が一挙に思い出されてきた。

中央線の郊外の欅《けやき》の並木のある街道筋に面した荒物屋の、坊主畳の離れ。駅前商店街の真中の中華そば屋の、かしいだ二階。二百坪の庭の真中に建った閑静な邸町の隠居所の切炉のあった風雅な離れ。それらのどの部屋よりも長くいる現在の二階家……

荒物屋では、はじめて慎吾が酔って泊っていった。知子は意外に大きい慎吾のいびきに脅えてしまった。下宿に内緒でとめた苦心も、それでばれてしまい、知子はそこに居たたまれなくなった。

中華そば屋のかしいだ二階は、どんなに気をつかっても柱がゆれ、床が鳴った。夫に捨てられた子持の未亡人は、三ヵ月で理由も告げず、二人を追いたてた。出がけに、未亡人は、知子の耳に口を寄せ、

「小杉さんは肺病ですよ。あたしは昔、看護婦をしていましたからね、わかっているんです。あなた、今のうちに別れておしまいなさい」

と囁いた。そのくせ、知子の留守には、慎吾に身の上相談を持ちこみ、息子の進学の指示を仰いだりした。

風雅な隠居所の七十歳の老女は、誰よりも慎吾を信頼した。中気で倒れた時には、莫大な財産目録のかくし場所を、ひそかに慎吾にだけ教えたりした。慎吾の訪れる足音を知子以上に待ちわびていた。

どの部屋の壁にも天井にも、すすけた柱の一本一本にも、知子は慎吾との生活の想い出や傷あとを、ありありと思い描くことが出来る。

それらの部屋をみつける時、知子はいつも慎吾の手を借りなかった。引越しまで、たいていは、慎吾の留守の間に片づけてしまった。

どの下宿でも、後から当然のように通ってくる慎吾をみて、知子の境遇をいわず語らずに察し

た。一向に悪びれない知子と慎吾の態度に、大家の方が圧倒されて、いつのまにか、二人の関係の不自然さを忘れてしまう。

三十年来、小説を書くという一事に男の生涯をかけ、その道で一向に報われない慎吾は、世間では何の肩書もない、無収入に近い男だった。仲間うちでも、妙に打ちとけない陰気さと、気位の高さが気の許せない人間と見られ、友人も殆ど出来ない。それなのに、知子の下宿の大家たちは例外なく、慎吾の人柄を鷹揚《おうよう》だとみなし、誠実でおとなしいと気を許したり、時には頼りにして相談事を持ちこんできたりする。不思議といえば不思議だった。

「あたしの星は流浪の性なんですって、あたしとつきあえば、慎まで生涯、住居も定まらず、放浪しますよ」

そんなことが、平気で口に出来たのも、慎吾という楯《たて》がじぶんの生活をかばってくれる安堵と甘えからではなかったか。

あれだけの生活と歳月をいっしょに歩いてきた慎吾と、なぜ、今まで通り心をよりそわせていてはいけないのか。八年間、目をそむけてきた実体を、今更のように、見つめ直す必要が果して本当にあっただろうか。

いつのまにかチョビ髭が帰って来てしきりに慎吾に決断をうながしている。

「こんな陽当り、めったにあるもんじゃありませんぜ、子供なんかには最高だね。……旦那、お子さんは……」

「いないよ」

「そいつあ、お淋しいね」

その夜、珍しく、知子が眠りそびれている気配を察して、慎吾が闇の中で聞いた。

「どうする」

「…………」

「明日じゅうに一応返事すると、髭にはいっといたんだよ」

「決める」

「う」

「買っちゃえ」

「…………」

「……だって、そうでもしないと、とても慎と別れられないもの」

知子は、こらえかねて、この頃つとめて慎吾にはみせないで来た涙を、急にあふれさせ、泣き声をふりしぼりながら、慎吾の軀に激しくしがみついていった。

「奥さん見て下さい」

植木屋が庭から叫んだ。

知子は慎吾との電話をきったまま、考えこんでいた背をふりむかせた。

はじめからあった泰山木の横に、すべすべした葉のない鼠色の枝をしなやかに空へのばした蘇芳がおさまっていた。

干菓子のあられのような紫紅色の可憐な蕾をいっぱいにつけた枝は艶にやさしかった。

植木屋の帰ったあとも、知子は開け放した縁先に膝を抱き、慎吾とのさっきの電話にこだわっていた。

いよいよ電話を切ろうとして、知子はふっと湧いた疑問を口に出した。

「いま、家からかけてるの」

「いや……煙草買いに出て駅前だ」

知子はふと、慎吾の今口にした駅前が、海辺の駅であり、慎吾の使っている赤電話が、三月前まで慎吾があの町で使い馴れたものであるような錯覚を感じた。

我が家に電話が出来ても、相変らず、公衆電話でしか本当の会話の出来ないのが、慎吾と知子の間なのだろうか。

知子は、かつて窓ぎわに、慎吾と知子の机の並んでいた二階の部屋で、一心に内職の洋裁のミシンをふんでいる筈の慎吾の妻のシルエットを思いうかべていた。

そして、やがて、その部屋へ帰っていくであろう慎吾の姿が……知子のふみなれたあの急な階段をふみしめる慎吾の足音まで聞えてくるような気がした。するとそんな、なまなましい想像から、もうずいぶん長く離れていたことに気がついた。

引越してきた当座、知子はよくがらんとした家の中で、突然襲ってくる孤独感に堪えかね、軀を打ちつけるように、畳にころがって泣いた。故郷から呼んだ手伝いの少女は、そんな知子をさえ頼りにしているので、少女が使いに出た留守とか、寝静まった真夜中に、泣いた。風呂に入っている時も、厠《かわや》にいる時も、知子の涙は無際限にあふれだしたがる。

慎吾との生活の間でも、慎吾の居ない日が多かった筈なのに、その留守はこんな凄《すさま》じい淋しさにとらわれたことはなかった。

一年あまりも身心をすりへらしてそれを望んできた別れの実体とは、こういうものだったのかと、知子はじぶんの周章《あわて》ぶりに目を据えていた。

はじめて持った家というのは、思いもかけないほど手のかかるものだった。誠意のない建売建築は、あらゆる箇所に手がぬいてあり、いつでも、どこかが、故障して、住人の神経を苛だたせる。

生れてはじめて井戸水をつかう知子には、井戸水が干上るなどという現象も、現実にははじめての恐怖だった。

押し売りやセールスマンや、証券会社の勧誘員が、入れかわり立ちかわり訪ねてくるのにも呆れはてた。

ハンドバッグの中味まで、慎吾まかせですごしてきた長い歳月に馴れ甘えていた知子には、それらのどれひとつとりだしても、器用にさばける問題ではない。

引越しさわぎでとりまぎれていた間に、たまっていた仕事の山にいどむことで、知子はじぶんを忘れようとした。陽当りのいい庭は、知子の染色の仕事には、思いの外役立った。

そんな時、知子の耳に今度のじぶんたちの二重引越しの噂が入ってきた。

「浪江さんがねえ、よくもそんな関係の女のいた後へ引越していけるものだって……あの人の奥さんの気持って気味が悪くなったって、いってたわよ」

それを伝えた公子《きみこ》も、話の中の浪江も知子の学校友だちだった。

たまたま浪江が嫁いだ先が、慎吾たちの棲んでいた町だった関係から、浪江は、慎吾の妻と知子の因縁《いんねん》を知らず、慎吾の妻と親しくなってしまった。

それを知って以来、知子は何となく慎吾の妻に遠慮して、故意に浪江との友情から遠ざかった。慎吾の妻の周囲を、一人でも多くの友人で賑やかにしておきたいという知子の願いは、知子の立場からは、ずいぶんこっけいな、矛盾した願望にかかわらず、それもたしかに真実な、知子の感情の一面にはちがいなかった。

公子の話を聞いた時、知子はほとんど、浪江も、それを伝えた公子をも憎んでいた。

つづいて耳に入ってきたのは、

「あんまりひどいじゃない。あなたもあなたよ。八年もつくしたあげく、追いだされて、その後へ家中でのりこんでこられて、よくもだまって引きさがっていられるものね」

という知人の、同情と憤慨にみちた口調だった。

軽率なすすめ方をした知子の方に深い意志はなかったけれど、もしかしたら、あの部屋に移ってくる決心をした慎吾の妻の胸のうちこそ、本当の地獄の火が燃えていなかったと誰がいえるだろう。

慎吾から、妻が同意したと聞かされた時、一瞬、誰よりも理解しあったような感動にひたったのは、知子のおろかな錯覚にすぎなかったのかもしれない。その上、またしても知子は、不用意に慎吾の妻を誤解されやすい立場に追いこみ、深い傷をおわせているのかもしれなかった。その慎吾の妻に対して尚《なお》いっそうひどい侮辱を与える事を、知子は慎吾と計画してしまったのだ。

さっきの電話の時、知子は話題がつきると、植木や井戸の話と同じ調子で何気なく云ってしまった。

「小田原へちょっと用があるの、あした」

「小田原？」

「ええ、染色の型紙を借りに出かけなきゃならないの、それはすぐすむんだけど」

「今、あそこじゃ、桜の盛りだよ、昨日、新聞に出てた」

「あら、そうお」

弾んだじぶんの声の調子につりこまれたように、知子はすらりとつづけた。

「花、見に行かない？」

慎吾が、こだまの帰るすばやさで応じた。

「行くよ、何時にする」

何の不自然さもない慎吾の声を聞いていると、知子の頭の中で、時間と距離の観念がすうっと遠のいていく。

知子は、慎吾との新しい約束を深く考えたくない気持から、いったい、いつから慎吾なしのこの生活にこんなにも平然としてきたのだろうかと想いをそらせていった。

新しい家で仕上げた自分の作品がたまるにつれ、ようやく家がじぶんの家としての実感を持ってきた。

図案を画きながら、染料をときながら、型紙にのみをあてながら、知子はもう、ほとんど慎吾を想いだすことを忘れているじぶんを発見して、驚くことがあった。

あれだけの淋しさや、涙を、忘れるのに、三ヵ月とかからなかったじぶんが信じられないし、許せない気がした。

気がついてみると、引越し当座は、何かにつけ、見舞の電話をくれたり、それとなく様子をさぐりに来てくれていた慎吾の訪れも電話も、しだいに間遠になっていた。

それに気づくと、知子はまるで慎吾から理不尽に捨てられたような矛盾した心細さと屈辱を覚えていた。心の底の底では、じぶんでも気づかず、この家にもまた、慎吾が通いはじめてくる日を待っていたのかと、ぎょっとなった。

知子は不思議な発見をしたように、頭の中で、慎吾の家と、じぶんの家の距離を描いていた。地図の上では、それはほとんど一直線にあって、意外な近さを示している。そのくせ、実際にそこへいくにはバスや私電に何度ものりかえ、のりつぎしなければいけず、ひどく時間をとるような錯覚があった。

実際の距離はその何倍かある海辺の町から、ほとんど乗りかえなしで知子の部屋へ通っていた慎吾にとって、新しい知子の家は複雑迂遠《うえん》な距離感をもっていたのかもしれない。

慎吾が無意識に、距離感に左右されて、つい知子の新しい家を訪れることが億劫《おっくう》になるのも、知子が家の雑用や仕事に追われることで、あれほどの涙を忘れてしまっていったのもつまりは、生活という雑事と習慣の繰返しが、意外な強さで人間の感情や感傷を、のみこみ押し流していくせいなのかもしれなかった。そしてそれは知子に、慎吾とのかつての生活が、やはり、愛や情緒より、生活の習慣と惰性で保たれていたことを、今更のように思いかえさせていた。

慎吾と別れたら、慎吾もじぶんも、生きていけないのではないかと、本気でおそれていたあの長い歳月の暗示は、いったい何にかけられていたものだろうか。知子は急に、憑《つ》き物が落ちたような虚《むな》しさと白々しさの中にいるじぶんを感じていた。同時に、ひどく軀中が軽くさわやかになっているのを認めないわけにいかなかった。

知子はその中で、明日はやはり、慎吾との行楽を共にするだろうじぶんを感じていた。さっき感じた後ろめたさはいつのまにか消えていた。同時に、ふとなまめいた淡い期待のようなものも、影を消していた。

新宿の小田急の改札口に、慎吾は時間より早く着いて待っていた。

別れて以来、一、二度町で待ち合せたこともないではなかったが、たいてい知子の急ぎの用の前の、ほんの短い時間を、共同生活時代につながる事務的なやりとりが目的で逢っていた。

今日のように、ふたりだけの秘《ひそ》やかな行楽のための待ちあわせは、はじめてのことだった。

二人並んで小田急の小ざっぱりしたロマンスシートに腰をおろすと、長い歳月の習慣が、三カ月の距離をたちまち埋めて、身のこなしだけは、すぐぴったりとより添うふたりであった。知子は、ほっとしたように初めて軽いためいきをもらした。

「変なものねえ、何となく人目をしのんでるって感じで……変だわ」

慎吾の目も笑っていた。二人の仲を公然と、むしろ誇示するくらいの態度で暮していた三ヵ月前までには、こんなしのびやかな気のつかい方はしなかった。

電車が走るにつれ、慎吾も知子もお互いが同じ想い出を胸によみがえらせていることを知っていた。

最初、慎吾と知子が二人だけで旅に出たのが、この電車だったのだ。その旅にさえ出なければ、あとにつづく八年の二人の長い歳月は全くちがったものになっていたかもしれなかった。

その頃、慎吾は生活にも夢にも絶望し、死の道づれをほしがっていたし、知子は知子で、半生の中で一番昏い、頽廃的《たいはいてき》な精神状態におちこんでいた。

夫の家を飛びだし、新しい恋に自分から幻滅し、人に話せない惨めな行きずりの情事の汚辱さえあった。

仕事のめどはつかず、どうにか女ひとりの生活をささえるためには、おびただしい屈辱の泥を蒙《こうむ》らなければならなかった。誇りはとうに見失われていた。

気づいた時には底のない虚無の淵《ふち》にどっぷり腰までつかっていた。

「こんな生活とはちがう。こんなはずじゃない」

知子はじぶんのだらしない状態に悪態をつきながら、酔っぱらって深夜の雪道に膝をつき、犬のように哭《な》きながら、成長したいのに！　成長したいのに！　と身をもんだ。

誘われれば、知子がカットを頼まれている文学サークルの同人だというだけで、それまでほとんど話らしい話もしたことのない慎吾と、たちまち旅に出かけるほど、なげやりな気分でもあった。

約束の時間に三時間もおくれて待ちあわせの場所にあらわれた知子を、慎吾は辛抱強く待ちつづけていた。

「賭《か》けていたのだ」

といった慎吾のかすれた声が、知子の胸をうった。

こんなことにこれほどの必死さで何かを賭けずにいられない慎吾の深い絶望が、知子に伝わってきた。知子ははじめてやさしい目の色で慎吾を見あげ、古い恋人のようにだまって慎吾に従い歩きだした。

同じ星から来た同類だという親近感が、知子の心を和ませていた。

慎吾についてその時知子の識っていたのは、慎吾がじぶん以上に何者かに絶望しているということと、感覚的に合いそうな人間だという、いいかげんなおくそくだけだった。

その時、知子にはそれだけで充分だった。

箱根へついたふたりは、慎吾の歩きたがった旧街道を、あてもなく歩きつづけ、日も暮れそうな頃、ようやく行き当りばったりに、渓流ぎわの侘《わび》しい三流宿に靴をぬいだ。

部屋に上って、知子が慎吾の上衣をハンガーにかけようとすると、慎吾が背後から、

「裏みるな」

と声をかけた。

「え」

「ぼろぼろなんだ」

玄関で慎吾がぬいだすさまじいぼろ靴を女中が下駄箱にしまいかけたのを見た時の、驚きと恥ずかしさを思いだし、知子は思わず慎吾の顔をみつめ小さく声をだして笑った。じぶんのその笑顔が、優しい表情に和んでいるのを知子はその時感じていた。

慎吾はその夜、知子の持ち金をすっかり飲みつくしてしまった。知子を抱けないほど酔ってしまった慎吾の薄い胸に頭をあずけ、知子は、じぶんが素直な小さな女になったような気がしていた。

知子はしきりにあせっている慎吾をかばうようにいった。

「いいのよ……そんなことで来たんじゃない」

「ほんとうか」

「眠りましょう」

「なってないな」

枕の下の渓流のとどろきが、夜どおしふたりをゆりあげていた。

ふと、目をあけた時、頭の真上に慎吾の目があった。

「いっしょに死んでくれないか」

「……ええ……いいわ……」

知子は慎吾に笑いかけ、その微笑を口元にのこしたまま、ひきずりこまれるように眠りのつづきにおちこんでいった。

あれは夢だったのだろうか。

朝になって顔をみあわせた慎吾は、包みこむような目で知子をみつめただけで、そんな気配もみせなかった。

その旅から帰った後、ふたりの長い、ほんとうの旅が始まったのだ。

八年前と同じように、清潔な少女が紅茶をはこび、レコードはさわやかに鳴りつづけている。知子は何気なく紅茶を持ったじぶんの手の老いに目を止めていた。みかえらなくてもわかっている慎吾の顔の八年間の老いに、じぶんの老いを重ねていた。四十の男が五十前になり、三十の女が四十近くになる、時の、無惨さだけがそこにあった。

小田原に着くと、週日なのに駅前は観光客のおびただしい人群と車でごったがえしていた。いつのまにか、空は真珠色に薄く曇りをおびてきて、頬にふれた風がつと、冷たかった。

駅から真近に見えている城の方へ、知子は慎吾によりそって歩いていった。

観光客は箱根が目的なのか、城跡公園の内へ入ると、意外に人影が少い。

高い石垣にそって廻り、天守閣へ通じる石段の前に出た一瞬、知子はわれしらず、嘆声を発していた。

真珠色の空を斬りさく白堊の天守閣の鋭い稜線を背景に、石段の上の桜の大樹が、華麗な花あかりを枝いっぱいに燃えたたしていた。

石段は淡雪のようなはなびらの白で飾られている。

城の背後のなだらかな丘陵地帯も、花雲が薄紅いろになびいていた。

「こんな花ざかりに逢ったのは何年ぶりだろう」

慎吾も興奮をおさえた声でいった。

毎年、ふたりで花見を思いたっては、何時でも間の悪い何かの事情で、果さなかった。別れてしまった今になって、ふたりでこんな、花のいのちのふきあげるようなさかりに出逢おうとは、互いに想像もしてみなかったことだった。

天守の望楼の手すりにもたれ、ふたりはだまって下を見おろしていた。

海は凪《な》ぎ、とろりと碧《みどり》色にひろがっていた。

「寒くないかい」

「ええ、少し冷えてきたかしら」

知子は目をとじ、胸いっぱい強く息を吸いこんだ。

あるかなしかの風の中にただよっている慎吾の体臭が、肺の奥までしみてきた。それはほのかな酸味をもってすがすがしく、知子の細胞にしみとおった。もう、ほとんど忘れかけていた慎吾の匂いだった。

花のなまめきにふれても、ふたりの間になまぐさい性の牽引《けんいん》はおこっていない。透明ななつかしさだけが、知子の濃密な情緒になって、慎吾の方にまつわりもつれていく。

知子の胸を、安堵と、軽い失望に似た感情がよぎった。

「堀端のが、ここじゃ一番見事なんだよ、行ってみようか」

知子はうなずいて慎吾の腕に手をかけた。甘えからではなく、慎吾へとも自分へともつかない一種のあわれみからの動作だった。

廻廊を廻る度、下界の花のある風景が、パノラマのように変幻した。

もう慎吾とふたりの、こういう静謐《せいひつ》の時は持たないだろう。虚しさがすがすがしく胸にみちた。

知子は今、ようやく、慎吾との長い旅の終りにたどりついたような実感がしてきた。知子はわれしらず小さなため息をもらした。

「疲れたのか」

「いいえ」

たといこれからひとりの生涯をどれほど生きたとしても、これほどの花ざかりには、ふたたびはめぐりあえないのではないだろうか。

花びらが一ひら、知子の背筋からまぎれいった。

ひやっとした冷たいものが、背の奥でみるみる知子の熱さにとかされていく。

陽の光がかすかに弱まり、海はいくらか濃い色にかげっていた。

雉子

重い、かさばった荷物を持運びしなければならない時、牧子は無意識に、荷物を胸の上に両腕で抱きかかえている。

「牧子のその恰好、変だ。おしゃれに似合わない」

久慈に、はじめて指摘されるまで、牧子は自分のそんな癖に気づいていなかった。

「だって、物を持つ時、こうするのが一番楽なんだもの」

何気なく答え、牧子はあっと目をあげた。

「あ、あたしね、これ、昔、理恵を抱いた時の癖が出ているんだわ。ほら、子供を抱くように荷物を持つと、とても軽いのよ」

牧子は一時《とき》、自分の軀《からだ》をいくらか気味悪そうな目つきで見廻した。腰を落し、下腹をつきだしてそり身になり、足をふんばって物をかかえた姿勢に、牧子の過去がしみついていた。子供と別れて十数年も経つ今まで、そんな癖がぬけないということが、牧子に軽い怯《おび》えを与えた。

子供を産んだという痕跡《こんせき》は、もっと明らかな確かさで、牧子の軀に残されている。

牧子は男と床を共にする時、左の乳房を下にする。子供に乳をのませて添寝した時の寝癖であった。

「ほら、この白い傷あと、あの子が噛みついて乳腺炎おこして、切ってもらったあとなの、それつきり、お乳のませないでいたらこっちだけあがってしまったわ」

久慈の掌にゆだねている右の乳房の乳首の一点をさし示しながら、牧子はいう。

掌にすっぽり入ってしまう小さな乳房は左右大きさがちがっていた。

娘の頃、牧子の乳房は今の三倍もあった。しごきあげたタオルのように、風情もない棒状の、稚《おさな》じみた軀の線に、二つの豊かな乳房だけが、せめぎあって重々しく盛り上っていた。そのことまで、久慈に告げかけて、さすがに牧子は口をとざした。失った胸の豊かさについて語る愚かしさに気づいたからだった。

「乳は多かったんだろう」

「ええ、重くて痛かったわ」

はじめて赤ん坊の理恵に乳首を与えた時、まだ吸う本能に目覚めない理恵が、唇も舌も動かそうとしないのに焦《じ》れて、牧子は固くしこった乳房の上から指で強く押して見た。しゅっと爽やかな音をたて、真白な乳が理恵の顔をかすめ、隣のベッドをこして、向うの壁ぎわまで勢いよく飛び、したたかに壁を濡らした。

小学校を卒業する春から初潮を見た牧子の生理は、規則正しく、四十近くなった今になっても、ほとんどその衰えを見せていない。骨細のくせに、骨盤がたっぷりと張りだしていた。

結婚して北京へ渡った一ヵ月めに、もう理恵を身籠り、悪阻《つわり》も、出産も、あっけないほど軽かった。産気づいて、あわてて夫が、牧子を洋車《ヤンチョ》で病院へ運び、忘れものを取りに帰っていた間に、もう、楽々と、牧子は赤ん坊を産みおとしていた。あまりのお産の軽さは、動物じみていて、牧子を恥ずかしがらせた。

牧子の肉体は、人並以上に豊かな母性の機能を与えられているらしい。夫と別れた後にも、妊娠しやすく、男にも告げない速さで、牧子はそれを処分してきた。ためらいもなかった。

久慈とはじめて快楽をわけもった時、牧子は久慈の腕の中で、

「赤ちゃんできないようにして。とてもできやすいの」

そういっただけで、すっかり安心しきっていた。子供は理恵ひとりしか、考えられない。たとえ、欲しくなっても、作らない。それが、せめてもの理恵に対する操みたいなものだなど、感傷的になった時、久慈にいった。けれども、真実、牧子が別れた娘への心中立てだけで、怖れもなく、中絶してきたとは信じ難い。そんな行為に、それほど深刻に反省や躊躇《ちゅうちょ》する性質でなかった。

久慈には妻との間に、一人の娘があった。同じ文学サークルの先輩格の久慈とは、

「うちの娘、あんたの童話読んでるよ」

「お嬢さん、おいくつ」

「小学校三年、りえって名だ」

「あらっ、あたしの子も理恵よ」

そんな会話で始まった結びつきであった。自分の別れた娘と同じ年ごろの、同じ呼び名の娘を持つという久慈に、牧子は最初から、防禦《ぼうぎょ》のかこみの内側へ、ずかりと踏みこまれてしまった形であった。そのまま、ずるずると久慈との関係がつづき、八年もの歳月を送ったというのは、や

はり牧子は最初、久慈に泣き所を押えられたのかもしれなかった。

牧子が理恵のことを話す調子は、世間の母親たちが、自分の娘について話す時のような、自慢や過剰な愛をおしかくした卑下など、みじんもなかった。そのかわり自分の腹を痛めた子供であるのに、妙に他人行儀な突っぱなした見方をしたり丁寧なことばをつかったりする。久慈がそれを笑うと、

「だって、あの子はあたしが産んだというだけで、母親らしいこと何もしてやってないんですもの、それに何たって、今は楠本《くすもと》家のお嬢さんで、あたしの子供じゃないもの」

牧子の言い分だった。そんな牧子は別れた夫を話題の中に呼ぶ時も、必ずさんづけにしていた。

「あの子は、きりょうは、楠本さん似で美人なのよ。ところがねえ、別れて半年めぐらいの写真を、ある人から貰ったことがあるの。そしたら、どうでしょう。気味が悪いくらいあたしの子供の頃そっくりになってるのよ。がっかりしたわ」

「子供の顔ってものは何度も変るさ。その写真もってるのか」

「ええ、見せましょうか」

牧子は未整理の写真がはみだしそうに乱雑につっこまれているカステラのあき箱の底から、変色しかかった手札型の写真をとりだした。久慈の頬が思わずゆるむのをみて、

「何を笑うのよ、よう」

と、牧子自身も、もういっしんに笑いをこらえた顔つきで久慈の肩をこづく。

「似てるでしょう？　いやんなるくらい」

まんまるい顔を、素直なおかっぱの髪でかこんだ理恵は、太い一文字の眉の下で、いっぱいにみひらいた目に、幼い憤りをたたえ、きゅっと小さな唇を噛んでいた。写真をとる直前、何かで機嫌をそこね、泣いたのであろう。怒ったように一点をにらんだ目の中には、涙がきらめいている光があった。母に捨てられた四歳の幼児の憂鬱。

それからまもないある日、いつものように牧子の部屋を訪れた久慈が、ポケットから一枚の写真をとりだしてだまって牧子の机の上に置いた。

広いおでこをまるだしに、髪を横わけにした十歳あまりの少女がいた。肩あげのある紅梅浴衣に、さんじゃくを細い胴にしめていた。広い額、笑っている大きな目、子供には高すぎる鼻、薄い肩、細い胴、それはそっくり久慈の容貌と軀つきの特徴だった。

「あんまりあなたに似てるんだもの。おかしくって……いくら子供だって、こんなに似て」

「牧子の理恵も、もうこれ位の大きさになってるよ」

ああ、それで持ってきてくれたのかと、牧子はきょとんとした。なるほど理恵の写真は、もう数年も前のものだから、当時四歳だった理恵も、この少女のように成長している筈だ。

「信じられないわ、こんなになってる理恵なんて、想像もできない」

牧子は気味悪そうにひとり言につぶやき、また、まじまじと久慈の娘の写真に見入っていた。

それはもう、少女の容貌の中から、自分の子供の成長をしのぶ母の目付ではなく、愛人の子の容貌の中に、その母の俤《おもかげ》をさぐりだそうとする女の、ぎらぎらした目付であった。

次第に牧子は、りえの欲しがりそうな物を久慈にことづけるようになった。少女雑誌、二十四色クレヨン、マフラー、オルゴール……

りえからは、時折、たどたどしいお礼の手紙が来た。

牧子は、久慈には見せない苛《いら》だった表情で横をむき、おおざっぱにその手紙を読みすてる。久慈までが、りえに対する牧子の心遣いを、理恵にむけられない母性愛の慰めのように解釈しているらしいのが、牧子には笑止だった。

牧子は一度も、りえを、理恵の代用品として見たことも扱ったこともなかった。むしろ、理恵に贈る物を買いととのえる時、必ず牧子の心は、表皮を逆なでされるような、違和感があり、密《ひそ》かに傷つく感情があった。りえに物を贈るのも、りえの話を久慈との間で殊更話題に選びたがるのも、すでに久慈なしの生活を考えられないほど、久慈への愛にひたむきに溺《おぼ》れはじめていた牧子が、久慈の心の内を察して、どんな些細《ささい》な欲求をも、す速く満たしてやろうとする心配りから出た結果に、外ならなかったのだ。

男に溺れこむ牧子の情緒は、いつの場合も、とめどもない無償の愛にみたされていた。それは娼婦の、無智で犠牲的な愛のかたちに似ていた。

牧子と識りあった頃、久慈は不遇と不運のどん底にいた。生涯の仕事と選んだ文学の芽は一向に芽ぶかず、殆ど無収入に近かった。体は極度に衰弱しており、その上、盲点が拡がりつづけるという奇病にかかり、視力を失う恐れと不安さえ伴ってきた。らっきょうの皮をむくように、はがしてもはがしてもあらわれる久慈の不幸に、牧子の愛はいっそうふるいたった。

「盲になっても大丈夫よ。あたし、どんな雑文でも書きまくって、お金かせぐわ。あなたも、あなたの家も養っていくわ。口述筆記できるじゃない。売れなくったって、いい小説書いて」

牧子は本気でそう信じこんでいた。

自己放棄的な愛し方は、久慈がはじめてのものではなかった。別れた夫の楠本と、見合いから婚約した時には、腺病質な体質を楠本の為に改善して嫁《とつ》ごうと、いきなり一カ月の断食療法を敢行して周囲を愕《おどろ》かせた。若い田代への愛のためには、夫の楠本も一人子の理恵も捨てて走った。

どの男も、牧子の愛の豊穣《ほうじょう》さに圧倒され、それを牧子の母性とかん違いした。けれどもそれが母性でない証拠に、牧子のそうした無際限の愛の放出は、肉親や女にむかってはせいぜい世間並で、恋の対象になる相手の場合にかぎられていた。牧子の愛は充たされるより充たしたがった。たいていの男は、おびただしい牧子の愛をうけとめかね、あふれさせ、その波に足をさらわれてしまう。結果的にみて、牧子に愛された男は、みんな不幸になった。

牧子自身には、その道理が、いつまでも納得出来なかった。心はやはり不如意だった。

牧子は四十を迎えたこのごろになって、ようやく、自分の蹉跌《さてつ》の多かった運命の根は、人並より豊かな母性の機能を恵まれた軀の中に、おびただしすぎる娼婦性の情緒を棲《す》まわせている矛盾を軸にして、不器用にぎくしゃく廻ってきたのだと悟ったようだ。

そう思ってみてから、これまで、もう殆ど、夢にも思いだすことの少くなっていた娘の理恵のことを、何かにふれ、思い浮べている度数が増しているのに気づいてきた。

いくら丹念に追想してみたところで、生後四年ほどしか、いっしょに暮さなかった理恵との想い出は、三晩もつづけて数えあげたら、どんなささいな事柄までも、くまなくほじくり出してしまう。

めったに見ない夢の中の理恵は、いつでも赤と緑の鮮やかな紅葉《もみじ》の銘仙のおくるみに入っていた。その布は牧子の学生時代、好きでよく着た羽織だったもので、北京で牧子が自分でほどき、自己流に縫いあげたあやしげなおくるみだった。すっぽりと全身が入る袋型の胴に、共布で三角の頭巾《ずきん》をつけてあった。燃えたつような紅葉の中から、小さな理恵の顔だけが、ハート型にのぞくのが可愛いといって、牧子が抱いた手元を、中国人の主婦たちに、のぞきこまれたものだった。

楊柳《ようりゅう》の芽ぐんだ頃の、鄙《ひな》びた湖——什刹海《シィジャハイ》のほとりや、物を炒《いた》める油の匂いが漂ってくる夕暮の静かな胡同《ホートン》などを、そのおくるみにくるんだ理恵を抱いて、親子三人でよく散歩したものだった。また、病気になった理恵をそのおくるみごと抱きしめ、影絵のように浮ぶ楼門の下を、不安におののき、洋車《ヤンチョ》で走った晩方《あけがた》もあった。

理恵の夢は、別れて数年の間に数えるほどしか見なかった。別れた当座、毎夜でも夢に見たいと思った時には見ず、次第に思い出すこともなくなった頃、全く何の予告もなく、三、四度夢にあらわれてきた。

夢の中では、牧子はなつかしさで胸をとどろかせる。そのくせ目覚めたあとでは、なつかしさや、嬉しさよりも、重苦しい、不吉な予感に襲われて、半日牧子は気がふさいでしまうのだった。

カステラの空箱の底にしまいこんだまま、めったに出そうとしない、たった一枚の写真の外に、牧子の胸の中には、理恵をはめこんだ、二枚の風景画が、いつでも畳みこまれている。一枚は左に宮城の石垣と堀を配し、右手に議事堂の白堊の塔を望み、はるか前方に、ビルディングの波のうねりが地の果までつづいた、三宅坂界隈《みやけざかかいわい》の版画めいた風景である。

堀端の桜並木の葉の落ちつくした裸木の下を、オーバーにくるまった楠本と牧子が、左右から小さな理恵の手をとり、歩いている。理恵は二人の間で足を宙にうかせ、ブランコをする。余所《よそ》目には仲のいい一家のなごやかな散歩風景に見える。

理恵のはしゃぐ声だけが晴々とひびくのに、夫婦は堅い表情のまま、お互い目をそらしあっていた。

その頃、牧子たちは住む家がなかった。破局寸前の、不穏な、冷たい空気をはらんだまま、年末まで置いてもらっていた、郷里の知人の家から出され、行くあてもなかった。別れ話を内蔵して対《むか》いあっている神経戦に、楠本も牧子も疲れはて、巣を見つけるという、一番かんじんのことをなおざりにしていた。丁度その時、楠本の勤務先の議事堂の中に、地下の理髪室が正月休みだけ空いた。床屋が郷里へ帰っている休暇中だけなら、そこへ、もぐりこんでいてもいいという、つてを得た。

休暇中の議事堂の中は、人影もなくがらんとしていたが、地下室には、掃除婦や電気係りや、事務の人達が住んでいた。肥えた鼠がいきなり廊下を横ぎり走ったりもする。

理髪室はつい立のかげに三畳の畳敷があり、炊事用流しもあって、親子三人の仮の寝ぐらには結構間にあった。

その中で十日ほど、牧子たちは奇妙な正月の生活をした。壁一杯にはめこまれた鏡に、否応《いやおう》なく写しだされるので、さすがに楠本も牧子も、鏡の中だけでも和んだ表情をつくろうとつとめた。退屈した理恵をつれ、広い殿堂めぐりをする時もあった。

真紅の絨緞《じゅうたん》のしきつめられた廊下の横には、無数の部屋部屋がつづき、ビロードのカーテンや、まばゆいシャンデリヤや、豪華なマホガニー材の調度などで飾られている。お噺《とぎ》の国か魔法のお城を探検しているような興奮が、小さな理恵の胸を波立たせる。

「パパウ、ママア」

理恵の声は果しもない廊下を走り、無数のこだまを呼んでかえってくる。はしゃぎすぎた理恵が、小さな靴の埋まってしまいそうな絨緞の上に粗相をすることもあった。

話しあえば、たちまち尖鋭化してくる空気をさけて、楠本も牧子も、この非現実的な童話の国の生活に、疲れ、ささくれた神経を休めたくなっていた。

そんなある日の散歩に、三宅坂の桜並木へおりていくことがあった。風のない晴れた空の中に、くっきりと議事堂が聳《そび》えていた。二人の間にぶらさがっていた理恵が、急に足をおろし、牧子の手をふりほどいて、小さな腕をあげ、議事堂を指している。

「ママ、理恵のおうち、理恵のおうちみえる」

楠本と牧子は、何ヵ月ぶりかで声をあわせて笑い声をあげていた。

もう一枚の風景画は、もっと暗い灰色のトーンで塗られていた。

三宅坂から二ヵ月たっていた。雪模様の曇天が低く、おおいかぶさっていた。

尾久の町の湿《じ》め湿めした低地に、バラック建の粗末な都営住宅が、長屋式に並んでいた。引揚者の友人が住んでいる二間しかないその一間へ、ころがりこんで、ここもまた落ちつかない、仮寝の他人の廂《ひさし》の下であった。

場末じみた荒涼とした風景の中に、氷雨《ひさめ》の降りつづく日がすぎた。ほんのささいなことにも人の気が苛だつような陰鬱な、湿っぽい空気が、日ましに重くこもっていた。

その朝、何がきっかけかわからないようなささいな事から、楠本の怒りが爆発した。気がついた時は、牧子は楠本の力まかせの拳《こぶし》に右の眼を撃たれ、目から鮮血をふきだして倒れていた。

理恵が軀ごと楠本にぶっつかって打ちかかっていた。

お岩のような形相にはれ上った自分の顔を、鏡の中に見た時、牧子は、最後の決心がついた。

二晩、二駅離れた友人の家で手当をした後、朝早く、牧子は尾久へ帰っていった。まだ、楠本も家に居た。眼帯をした片目に理恵の笑顔がとびついてきた。

入口に立ったまま、入ろうとしないで、牧子は楠本と理恵を表へさそった。その日も曇って、空が低かった。

「だめなんです。やっぱり……行かせて下さい」

昨夜一晩考えた声で、牧子の口調は乾いていた。

「帰って来たのじゃなかったのか」

「だめなんです。あたしが悪いんです」

「理恵はやらないぞ」

「………」

「行くなら行け。そのまま行け」

「ママ」

　理恵が追って来ようとした。

「ママは、病院へいらっしゃるんだ。理恵おいで」

　楠本は理恵を抱きあげると、はじめて激しい声で云った。

「オーバーなんかぬいで行け」

　牧子は楠本の顔をみないでオーバーをぬいだ。マフラーも外した。道端の石の上に置くと、お辞儀をしてだまって歩きだした。

「ママ、いってらっしゃい」

　理恵が高い声で叫んだ。ふりかえって手をふったが、涙で顔は見えなかった。

目の前に、電車の線路が鉛色に二本どこまでものびていた。財布はオーバーのポケットの中だった。牧子は歩けるところまで歩こうと、足を運びつづけた。涙がかわき、鉛色の線路の冷たい光が映ってきた。それは無限にのびているように見えた。

　両側には荒涼とした場末の町がつづいている。

　これが自分の道だ。

牧子は、理恵の声を聞いたように思った。唾をのみくだし、立ちどまった。風が牧子の背を押した。

牧子は面《めん》のような表情でふたたび歩きだした。ふりかえらなかった。

死んだ子供が、母の胸では、永久に、死児の齢《よわい》のままで、歳をとらないように、牧子の胸の中の理恵も、別れた時の四歳の幼さから、何年たっても成長しない。想い出す顔は、いっしょに暮した頃の理恵の、父親似の、幼児にしては整いすぎて淋しかった俤だけが浮んでくる。

牧子は三、四歳の女の児を見ると、本能的に目をそらせた。そのくせ、そんな一瞬の短さの中にもその子の顔と服装が、目にかっきりと焼き映っていた。

世の中には、こんなにも三、四歳の幼女が多かったかと、愕くほど、彼女たちは、いつでも、あらゆる街角、あらゆる物かげから、ふいに躍り出て、牧子の目前にあらわれた。馴れ馴れしい甘えた微笑でまつわりつき、厚かましい小さな手で抱きついてくる。

牧子は不思議に子供になつかれた。電車の中でも、訪問先でも、彼等はすぐ、同類をかぎわける子供特有のずる賢い目つきをして、牧子に昵懇《じっこん》の目くばせをおくってくる。

そのくせ、牧子は年と共に、子供ぎらいになっていた。わけもなく甘えてまつわりついて来られると、嫌いな動物にとびつかれた時のような、本能的嫌悪から、鳥肌だってきさえする。

それでいて、牧子の掌は、むっちりとふくらんだなめらかな幼女の手首や、しゃぼんに濡れた、つるつるの薄い背中の手ざわり、一にぎりで締めあげられそうなきゃしゃな首筋のいじらしい感覚などには、身震いするような、快感の記憶がのこっていた。それは今も、幻想の中でますます感度を高め、掌の皮膚にはりついている。牧子は現実の幼児の体に触れたがらない。掌に残された記憶の裏切られる場合の索漠さが、想像してもいやだし、万一、幻想の感覚が確かに裏づけられる場合は、失望の時以上にもっと怖ろしい怯えの予感があった。

あれほどにして走った若い田代との恋の結末は、あっけなく惨めだった。

二十二歳の、まだ女の肌もしらない若者は、観念的な恋の理念の中では、どんな冒険も不道徳も描くことはできた。けれども、現実に、一人の二十六歳の人妻が、夫も子供も捨てて、血相を変え、着のみ着のままで、家出して来たのを、受けとめるすべをしらなかった。

そそけた髪を乱し、泣き荒した頬に汚れた眼帯をずらし、口紅も忘れた、思いつめた女の顔は、平穏な人妻で、可憐な幼女にまつわられていた時の上品さも優雅さもなかった。まるで見知らない女とむきあっているような落着きのなさと、気重さを、相手にさとらせまいと、必死にとりつくろっているのは、田代の若さの見栄だった。

東京の夫の家からも、二人の郷里の町からも離れた、古い都の小さな街角の侘《わび》しい宿屋の一室で、二人ははじめておずおず抱きあった。

牧子の乳房に触れた田代は、はじめて識る女の肌のあたたかさと、柔かさに、思わず掌に力をこめ、ふるえながらいった。

「やわらかいんだなあ、とけそうだ」

「……ばかねえ……娘さんの乳房は、固いものなのよ」

牧子は、優しい声でいいながら、ふいに田代がいじらしく、頼りなく、声の終りから激しくむせびあげていた。こんな無垢《むく》な若者を、むごい運命にひきずりこんでしまったという、恐怖と後悔が、もうすでに、心に重く、黒く、おしひろがってきた。

田代への不愍《ふびん》さは、そのまま、残してきた理恵へのいとしさにつながり、牧子はもう、収拾もつかないほど泣き乱れた。田代がおろおろして、頼もしげに愛を誓えば誓うほど、牧子はこの恋の不吉さの予感が背筋を冷たく走るのを感じていた。

牧子はよく、人から理恵のことを聞かれる。好奇心からだったり、礼儀からだったり、同情からだったりする。

彼等は理恵に同情するか、牧子の決断と実行力を称讃する。或いは、牧子の薄情を指摘する。そのどれも、牧子にはどこか的外れの感じしかしない。

楠本のところには優しい後妻が入り、その人には子供がなく、理恵が一人娘の受けるあらゆる恩恵を享受しているという噂を、牧子はまるで目撃してきたように、確信をもって答える。同じ東京に居てよく逢わないでいられる、と、次の問はまた判で押したようだ。

「逢ったところで、今更こっちに貰えるわけでもなし、あちらがせっかくうまくやっていってる所に、波風たてにいくのは、遠慮しなければなりませんからね」

牧子の答えも紋切型だった。

牧子は十数年来、一度だって、理恵に逢おうと努力したこともなければ、積極的に逢いたいと思ったこともなかった。楠本が理恵を牧子に呉《く》れる筈がないと、決めているものの、理恵の所属について、徹底的に楠本と論じあった記憶もない。命がけでも理恵はくれと、がんばったわけでもない。楠本が、理恵は渡せないと云い張ったのを、いい都合にして、一人で飛出した形だし、その後、理恵を奪いにいこうと、試みたことさえ一度もなかった。

同郷人のせいで、楠本の状態は、何かにつけ、耳に入る。理恵が楠本の意志で、幼稚園から既にアメリカンスクールに通っていることも知っていた。自分がそばにいたら、決してそんな教育はしないだろうにと、牧子はそのことに深刻にこだわった。けれども自分にそんなことを云う資格はないと思うと、その噂から受けた不安にも、あっけないほどす速く見きりをつけていた。

牧子の方に意志さえあれば、蔭乍《かげなが》らでも、成長した理恵を見る機会はつくれた筈だ。成長した理恵に逢いたいという気持がどういうわけか牧子にはない。逢いたくないという自分の気持の奥底に、目を据えて、見つめようという勇気も、牧子にはない。何となく逃げていた。いつから逃げているのか。

理恵と別れて一年ほどの間は、牧子は理恵の幻に責められ、路上や、劇場や、乗物の中で、ふいにたえきれない嗚咽《おえつ》で居たたまれなくなることがあった。

子供物売場や、幼児物専門店のウインドウの前を通る時は、不用意にそれらをまともに目にいれると、全身が感覚的にけいれんした。

けれども、何時、どの頃からと、しっかりした覚えもなく、牧子は、自分を襲う痛みの正体から目をそらせる術《すべ》を覚え、極力、自分をいたわった。それに歳月の馴れが加わった。いつのまにか牧子は忘れるために忘れたものを、努力なしに忘れるようになった。

そして、現実の自分の足元をすくいにくる生活の波にさからうことだけで心がいっぱいになっていた。

電車やバスの中で、牧子は、ふと、目の前や左右に、もしか理恵と並んでいるのではないだろうかと、ごくまれに恐れることがある。その想像は期待よりも恐怖を伴っている。神を持たない牧子にとって、将来、見知らぬ女になった理恵に逢う瞬間こそが、絶対の畏《おそ》れであるかもしれない。

もし、望めるならば、昔、牧子が別れた頃の、幼女の理恵にはもう一度逢いたいと思う。そして掌の記憶を確かめてみたい。

牧子は、楠本の許を出て一年ほど後、たった一度、理恵に逢いに行ったことがあった。

その頃、理恵は、郷里の町からまだ数里離れた田舎町の楠本の義兄の許に預けられていた。疎開したまま、まだそこに住んでいるという、町外れの寺へたどりつくまで、牧子は頭の中が真空状態で、何も考えられなかった。家や理恵を捨ててまで走らなければおさまらなかった無謀な恋にも破れ、牧子は、家を出て以来住みついた古都で、細々女ひとりの暮しをたてていた。逢ってどうしようというのでもない。ただ一度逢いたくなった感情は火がついたようで、夢中で来てしまった。

寺はすぐ、見つかった。森閑とした昼下りの寺の境内に人影はなく、牧子はすらすらと庭の方へしのびこめた。

町の中学校長をしている義兄も、義兄の大きな子供たちも、みな学校に行っている時刻であった。義兄の末の娘と、理恵が、残っている筈だ。

寺に来る間も、菜種の花の咲きみだれる畠中の道や、小川のほとりを、牧子は注意深く理恵を探し乍ら来た。

見当をつけた寺の離れは、裏庭の池の前にあった。池から離れまで、竹藪《やぶ》がしげっている。牧子は誰にも見とがめられず、足音をしのばせて、暗い竹藪の中にもぐりこんでいった。森々とした空気の中に、池で魚がはねた。

息をつめて、一歩一歩、離れの縁近くへにじり寄る。と、白い障子の奥から、

「さあ、さあ、もう外へいて、遊んできなはれや」

という老婆の声がした。覚えのある姑《しゅうとめ》の声だった。牧子には優しかった姑だった。感傷的になった牧子の耳に突然、幼い歌声が聞えてきた。

あんたがた　どこさ　肥後さ

肥後どこさ　熊本さ

声は二人のものだった。はりのある高い声に、弱々しい自信のなさそうな声が、おくれがちについていく。

二人の声はからまりながら、座敷の奥へ遠ざかっていった。牧子はあわてて竹藪から這《は》い出て、築山《つきやま》ごしに寺の裏手へまわり、破れ垣根にストッキングをさかれながら、往還へもぐり出た。

理恵の歌声、弱々しい自信なげな歌声が耳にこびりついている。牧子は、理恵に歌どころかことばさえ、心をこめて、教えたことがなかったのを、思いだした。

北京から郷里、郷里から東京と、丁度ことばを覚える年ごろに、転々とつれ歩かれた理恵は、その土地のことばになじむひまもなく次の土地にうつるので、普通の子供より、ずっと言葉がおそかった。その上、丁度牧子が、恋に落ち、心も上の空の毎日で、ことばのない理恵と、しみじみ語りあってやるような、落着きもゆとりも、持たなかった。物心づいた理恵は、理由もわからず、泣いている母の背に、何時間もゆられたり、突然ヒステリックに抱きしめられたり、半日以上も、一言の声もかけられなかったりして過した。牧子にはゆっくり絵本をひらいてやった記憶も、歌を口うつしにした記憶もない。むしろ、理恵をつれて田代に逢い、理恵を二人の中にサンドイッチのようにはさみ、理恵の目をふさいで、接吻を盗んだことさえあった。寝つきのよかった理恵が、夜半に何時間も、夜泣きして、牧子の背にゆられ、深夜の月夜の道を、歩きつづけなければ眠らなくなったのも、その頃だった。

牧子は、憑《つ》き物のおちたような空虚さを、心いっぱいに嚙みしめながら、麦畠から菜畠の方へ、歌声をたよりに二人の子供を探しに、わけ入っていった。

麦畠と菜種畠の真中の道を、手をつないだ二人の幼女が、歌いながらやってきた。牧子は夢中で、二人の方へ近よっていった。両頰に涙を流れるにまかせた異様な女の出現に、二人の幼女は、気をのまれ、立ちすくんだ。次の瞬間、義兄の子が、何か大声でいいながら、一さんに後をむいて駆けていった。理恵は、じっと立ちすくんだまま、動かなかった。牧子は理恵の前に跪《ひざまず》き、両手で思わず引きよせた。

なつかしそうな顔も、不思議そうな顔もせず、理恵は無表情にされるままになっていた。出奔の朝まで、牧子が編みつづけていたセーターを着ていた。手首まで、たっぷりあったセーターの袖口が、今は、むっちりした腕の途中までしかなかった。やはり、牧子に似た写真よりは、楠本似の、小ぢんまり整った顔をしていた。

「理恵ちゃん！」

牧子はあと、何といっていいかわからなかった。

「パパは」

共通の話題といえば二人の間にそれしかない。

「トウキョウ」

おうむがえしにはっきり答えた。つりこまれるように牧子はいった。

「ママは」

自分の顔が子供に媚《こ》びているのがわかった。

「死んじゃった」

ためらいのない声だった。牧子のしんと澄み透っていく頭の中に、理恵の声が無数のこだまになっていた。

その時でさえ、牧子は理恵をつれ去ろうとはしなかった。

小学三年だった久慈の娘のりえは、いつのまにか大学生になっている。長い久慈との愛の季節の間に、牧子は久慈からその折々のりえの写真を見せられ、成長の過程を識っていた。はじめて見せられた写真では、薄い細い軀の上に、か細い長い首に支えられ、不釣合なほど大きく見えた頭が、成長するにつれ、軀との均斉がとれ、りえは、父親似のやせぎすで脚の長いすらりとした娘に成長していた。小学生の頃より、顔に丸みがそなわり、頰が柔かく出て、鼻の高さが目立たなくなったのは、かくれていた母の容貌が顔をのぞかせたのだろう。そう見れば、たっぷりした唇のゆたかさも、顎《あご》のまるみも、父の久慈の俤には探せないものであった。

ある日、いつものように牧子の部屋を訪れた久慈が、着物に帯をまわしながら、

「うちのりえ、きたよ」

とつぶやいた。

「え？　何がきたの」

「あれがきたんだ」

帯を結んでこちら向きになった久慈の大きな目の中に、柔和な愛がみなぎっているのを見て、ようやく牧子は、久慈のつげることばの意味をさとった。

りえが女になる年を迎えたのは、むしろおそい方であった。牧子はすす早く自分のその年を回想し、女の機能は母と娘は似るという通説を思いだしていた。自分の血と骨をわけた娘が、すでに女になっているかもしれないという想像は、牧子に全く思いがけない、厳粛さと感動を呼びおこした。自分の血脈が、ふとひとまわり太くなったような気がした。生命の流れの力強さが、軀の

中を激しく音たてて流れていくように感じた。

牧子は背筋に、覚えのある甘美な陶酔が、いきいきとよみがえるような錯覚にとらわれていた。

理恵がはじめて、乳首に吸いつく本能に、目ざめた時のことだった。理恵は突然、びっくりするような力強さで、いじらしく乳首を吸いたててきた。無感覚になるほど、堅く凝った乳房の芯《しん》から、しゅうしゅう乳が吸いだされ、柔かく、しこりがほぐされていく快感が、背骨に伝わっていく。背筋をむず痒《がゆ》いような甘美さが流れ、全身の細胞をうっとりと和《なご》めてくる。おおかた二十年にもなる遠い歳月の霧の中から、パイプ・オルガンのような大らかな波長でよみがえってきた感覚は、十数年逢うこともなかった理恵との深い血の縁を、脈々と感じさせてきた。

あれからも、もう三、四年がすぎている。

父と牧子の関係を何も知らずに成長したりえも、いつか母も含めた尋常でない関係を識るようになったとみえ、もうぱったり手紙もよこさなければ、年賀状もひかえるようになっていた。りえからきた最後の手紙が、牧子が高校一年のりえの正月に、和服の晴着一式を揃えてやったお礼状だったのを牧子ははっきり覚えていた。その晴着には、牧子にも牧子なりの想いがこもっているので、その時のりえの手紙は、いつになく心にしみて読みとっていた。

久慈と二人で銀座の呉服屋の店で、りえの晴着を選んだ時だけ、牧子は不覚にも、りえの上に理恵の俤を重ねていた。

北京で理恵を産んで一年目、牧子は理恵と二人で、西単の胡同《ホートン》の奥で終戦をむかえた。

その頃、楠本は現地召集で兵隊にとられ、牧子は誕生を迎えたばかりの理恵をかかえ、途方にくれていた。楠本が応召前に勤務先の大学を変り、内地からの発令が、何時とどくかもわからないという状態だった。そのため新しい大学からの俸給が支給されなかった。貯《たくわ》えなど全くなかった上、内地との文通も殆ど絶えていた。理恵の生れた時からいる少女の阿媽《アマ》が、無給でもおいてくれというのをあてにして、牧子は連日、炎天下を就職運動にかけまわった。漸く見つけた城壁際《ぎわ》の運送店の事務員という職に、はじめてついたのが、終戦の日だった。

外地で終戦という予想外の事件にぶつかり、牧子は気が動顛《どうてん》した。気がついた時は、運送屋の店を飛びだし、城壁を背に、広い宣武門大街を気違いのように駆けつづけていた。

次の瞬間、どんな動乱がおこり、理恵と引離されるかわからないという、動物的な恐怖にかられていた。

我が家の門の中にとびこみ、いつものように阿媽に抱かれて庭に立っていた理恵に飛びつくと、その場に牧子は理恵を抱きしめたまま、へたへたと腰をついてしまった。

その翌日から、牧子は、あるだけの和服を金にかえはじめた。いつ帰るかわからない楠本を待つ生活費をつくるのはそれ以外になかった。行李に六、七杯もつめてきた嫁入支度の和服は、まだしつけもついたまま、一度も袖を通さないものがほとんどだった。

牧子は阿媽に手伝わせ、一日、虫干のようにそれを家中にかけめぐらせ、名残りを惜しんだ。亜の字型のれんじ窓をもつ中国式の薄暗い屋子《ウーズ》の中に、突如、色彩が氾濫し、絹が光を集めて艶《つや》やかにゆらめいた。それは異様に華やいだ光景だった。赤ん坊の理恵まではしゃぎ、きゃっきゃっと声をあげて、着物の幔幕《まんまく》の下を這いまわった。

「理恵にも買ってあげましょうねえ。理恵が大きくなったら、お正月におべべ着ましょうね、お雛《ひな》さまかざって、お振袖着ましょうね」

その言葉は、明日の生命も危険な状態に置かれているだけに、切実な祈りとも、儚《はかな》いうわ言とも聞えた。

牧子は、理恵を産んでこの日ほど、理恵と二人でいる浄福にうたれた時はなかった。

呉服屋の店頭で、少女むきの華やかな晴着を次ぎ次ぎかけひろげた時、全くふいに、牧子は、あの北京の胡同の奥の、虫干の日を思いだしてきた。

無心の理恵を抱きしめて、繰返した、約束のことばが、はっきりと記憶によみがえってきた。

「これがいいわ」

白地に五色の竹を染めあげた、華やかな中にも品格の高い晴着を牧子はためらわず指した。牧子の瞼にある理恵の幼な顔が、はじめて美しく乙女になった俤を持った。その顔を着物の上にうっとりと描いていた。久慈のりえのことは、その瞬間、牧子は完全に忘れていた。

「着物を着た写真見て下さい。急に大人になったような気がしてきました。でも母は、女の子は衿《えり》あしをきれいにしようと心がけるようにならなければ、まだまだ大人の中に入らないといいます」

久慈のりえの着物姿の写真といっしょに送られてきた、りえの最後の手紙だった。

牧子は、肩や腰にまだ肉がつかない清純な和服姿のりえの写真を、いつになくしみじみと、燈かげにすかしながめていた。

この少女が、大学生になる頃までには、久慈をこの少女にかえさなければいけない。その考えは、何の唐突さもなく、静かに牧子の胸に浮んでいた。目をそらせていただけで、牧子の胸の中では、久慈との別離の日の文字が、もう、いつからか、黒々と書き記されていることに気づいた。

そんなある日、牧子は仕事で、ある病院へルポをとりにいった。目的は人工中絶手術の取材ルポだった。

総タイル張の手術室は二十坪ばかりで、とまどうくらいの明るさがみちていた。

南面のガラス窓から正午すぎの晩秋のまぶしい陽ざしが、きらめきながらさし透し、一直線に、手術台までのびていた。

手術台は部屋の中央に据えられ、巨大な皿を斜めに置いたような最新のスタイルだった。陽ざしにむかって、すでに、患者の局部が、桃色の目をむいていた。ひきのばされた脚の肉は黄色い皮膚がたるみ、もう若くはなかった。

患者は目かくしをされていた。目かくしの下から見える頬はこけ、薄くあけた口に金歯が光っていた。麻酔にかけられながら数を数える声を、子供のようにはりあげていた。素朴な、素直な女なのだろう。

牧子は、自分でも覚えのある意識の薄れる瞬間の空白な不安な眠りを思いだした。在来の手術椅子で、足をきりきりひきあげられ、浅ましい姿態をとっている自分の姿が、目前の患者の上に重なってきた。

全身に脂汗がにじみだす。来なければよかったという後悔が、冷たくなった足元から這いのぼってくる。そのくせ、目はしばりつけられたように、患者のそこから逃れられない。

患者の内部から、いきなり肉色の塊《かたま》りが引きだされていた。いそぎんちゃくのように、口のしまった、まるい分厚い桃色の肉塊が、子宮頸《けいとう》口だ、汚れた鉗子《かんし》が矢つぎ早にサイドテーブルに並ぶにつれ、子宮口から、鮮血がふきだしてきた。それは、とめどなくあふれだしてやまない。ひからびた、黄色い皮膚の女の中から、しぼりだされる血潮は、みるみる膿盆《のうぼん》をみたしていく。まだ意志もない、形も定かにととのわない胎児の姿が、昏《くら》い子宮の中で、鉗子の冷たさにちぢみ上り、逃げまどっていそうな幻影をみる。

牧子は、口中がかわき上り、後頭部が冷たくなってきた。患者は、さっきから、無意識の中で、獣のような呻《うめ》き声をあげつづける。それはもう、牧子には、牧子自身の悲鳴であった。この刑罰を受けるために、今日までの自分の歳月があったのか。牧子は逃げだしたい気持をしびれさせ、その場に釘づけにされていた。もう好奇心のひとかけらもなかった。意識のない患者にかわって、患者の受けている痛苦と屈辱の拷問のすべてを、牧子は今、一身に受けとめていた。

血塊の中に、ふいに、鳥の脂のような白いものが、出てきた。胎児の一片だった。

目も鼻もない無数の胎児が、あだし野の灰色の墓石のように累々と並びおしひしめいてくる幻影が、牧子に恐怖の声をあげさせそうになった。断末魔の人間が、最後の力をふりしぼって光を呼ぶように、牧子は理恵を呼んでいた。突然、思いがけない鮮烈さで、牧子の耳に、北京の胡同の奥の産院で、暁闇にひびきわたった、理恵の力強い産声《うぶごえ》が聞えてきた。

「これが目です」

医者が囁《ささや》いた。

小豆《あずき》のような黒いものが鉗子の先に二つ連なっていた。

膝を折り、その場に崩れこむ牧子の目の中に、肩に翅《はね》をひろげた赤ん坊の理恵が、まねきながら、ゆるゆる舞い上って行く。

解　説

小説の中の人物造型は、どういう視角からなされてもかまわないものだと思う。作家は、人間が本来そなえている性質の、どの部分を拡大してみせてもいい。良識ある生活者からみれば、たとえそれが聖者と手をとり合う部分であろうと、悪魔と愉しみを分つ部分であろうと、選ばれた部分によってすぐさま作品の価値がきまるわけではないと思う。大切なのは、そういう部分の拡大のし方、深め方なのであり、部分の選択以上にその造型が重要なのだということをお互いよく弁《わきま》えておく必要があるだろう。

モラリストの小説では、主人公がしばしば光の証人ふうに仕立てられている。それは多分、人間の高潔な属性にもとづき、あの、聖者と手をとり合う部分が意識的に拡大されているためであろうが、そういう主人公たちが、日常的次元での立派な行動者であるにもかかわらず、意外に豊かさの欠けた精神の所有者として印象されるのはなぜか。

光の証人になりたいという人間の祈りに近い願いを否定することはできないけれど、すべての人間が容易に光の証人になれないところに文学の生れる余地もあるという考え方からすれば、悪魔と愉しみを分つ部分をもつつみこんでこそ高潔な属性もリアリティをもちうるであろうのに、その暗い愉しみが、忌避すべきもの、あるいは嫌悪すべきものとして拒否されているための貧弱さだとはいえないだろうか。

映画やテレビとちがって同時性に恵まれていない小説では、作家は、一時に多くの部分を拡大してみせるというわけにはゆかない。限られた視角にもとづき、限られた部分の造型を丹念に積み重ねてゆかなければならないのが小説というものだが、その限られた部分の深みにおいて、相反するものの性質にもひびき、作品全体がそれらをつつみこんで矛盾を感じさせないところにまで到りえてこそ、すぐれた作品といえるのではないか。そうなってはじめて部分が普遍性を獲得したといえるだろう。

したがって、ある小説の中で、人間が悪魔と愉しみを分つ部分が拡大されたとしても、結果として光の証人への喚《よ》びかけがなされていなかったなら、それはやはり作品としてすぐれているとはいえないように思う。作家は、人間が本来そなえている性質の、どの部分を拡大してみせてもかまわないけれど、それが深められた結果としての普遍性を獲得していない限り、そうした作品を高く評価すべきではないだろう。

＊

この文庫に収められた瀬戸内氏の作品を読まれた方は、ここで描かれている主要人物たちの生活者としての内的秩序が、いわゆる良識ある生活者の内的秩序とは重なり合わぬものであることに気づかれたであろう。いずれも独立しうる短編だが、『雉子』を除いたあとの作品は、登場人物の同一人名からも察しられるように、特定の事件を主軸とした連作とみられなくもない。

一週間を二つに分けて、妻子と、経済力のある愛人・知子との間を規則正しく往復している不遇な作家・慎吾。慎吾と結ばれている知子と、さらに関係を重ねる知子のかつての恋人・涼太。連作はこの厄介な四角関係の経緯を追っている。良識の世界ではとうてい現出しそうもない地獄的な風景が点滅し、暗い熱気が読む者の呼吸を乱しそうな部分もありながら、読後、乾いた微風さえ感じさせるところにこの連作の特色がある。

ここで作者が、登場人物たちの内的秩序にしたがって拡大してみせたのは、少なくとも人間の高潔な属性だとはいえないように思う。しかし、もし、作者の意図が、高潔ならざる属性の単なる拡大にあり、作法もまたそこに終始していたのなら、読者としてはとうていあの乾いた後味をかみしめることはできなかったであろう。そうした属性の深みにおいて、相反するものの性質をもよく喚びえている人物造型は、とくに注目されてよい。

そういう造型の巧みさにおいて、もっともよい効果をあげているのは『夏の終り』であろう。八年の間、妻から夫をかすめていたという不貞の事実によってではなく、半年あまり、涼太のことで慎吾に秘密をもち、裏切ったという怯《おそ》れから、涼太との別れよりも辛い慎吾との別れを自分はあえて実行しなければならないと決意しながら、じっさいには相変らず二人の男の間を右往左往している知子が、慎吾の妻の、夫へあてた手紙を発見して逆上し、海辺の町にある妻の家を突然訪問する『夏の終り』には、所々、作者の勢いあまった筆づかいも見受けられはするけれど、収拾のつかない破局に立ち会う人たちの、多面的で周密な造型がよく行われており、連作の中ではもっともよい効果をあげている。

作者は、慎吾に対しても、知子に対しても、また涼太や慎吾の妻に対してもひとしくやさしく、ひとしく冷酷であり、特定の人物だけをいとおしむことも、苛酷に扱うことも許さない作家的理性の支配をゆきわたらせているところに、この一編の成功が約束されたともいえるだろう。

この連作を読んでわたしに連想されるのは『和泉《いずみ》式部日記』である。より厳密にいえば、知子が『和泉式部日記』の女主人公を連想させるということである。一人の読者がある作品を読んで別のある作品を連想する。そのこと自体に積極的な意味はないといわれるかもしれない。しかしその共通項の抽出によって、互いに、よりきわめられる本質というものもあるのではないか。

それならば知子と、『和泉式部日記』の女主人公との共通項はなにか。まず第一は、さきにふれたように、生活者としての彼女たちの内的秩序が、いわゆる良識ある生活者の内的秩序とは重なり合わないということである。一週のうち半分だけ妻子のある男との生活をもち、男がしかるべき折には、夫としてまた父としてのつとめを果すことを不快に思わず、男の妻に対しては何の罪悪も感じないという知子も、夫をもちながらさる親王の愛をうけ、親王の没後日も浅いというのにその弟宮と結ばれ、結果的には宮の正妻を邸から追出すことになった『和泉式部日記』の女主人公も、良識的判断からは拒絶される内的秩序に生きているという点において共通である。

第二は、いずれも愛されることだけでは満足できない型の女であり、愛される以上に愛さずにはいられない非受動的な型の女だということである。相手につくされることを望んでいながらそれだけでは満足できず、自分からもつくさずにはいられないという点において二人は共通である。知子が、八年もの不倫な関係を、屈辱感なしに保ちえたのも、彼女が分けられた愛にただ耐えるだけの存在でなく、自立できる経済力をもち、独自な立場から、独自な方法で慎吾を愛しているという自意識に支えられてのことであったろうし、日記の女が、弟宮の正妻に妬心《としん》をいだかず、宮との関係を重ねえたのも、その根底で同じような自意識が働いていたためといえるのではないか。

第三は、彼女たちが、不倫な愛欲に陶酔しているさ中にも、そういう状態にある自己をながめるだけの目をもっているということである。「なぐさむる君もありとは思へども なほ夕暮はものぞ悲しき」という日記の中の歌は、このことを端的に語っていると思われるし、知子は知子で慎吾や涼太との時間を共有しながら、それぞれの時において、自分の相反する二面を見失ってはいない。

『夏の終り』に発したわたしの『和泉式部日記』連想はこの通りなのだが、こうした共通項から帰納されるのが、不倫の意匠をまとった純粋への讃歌であることをここに記しておきたい。歪《ゆが》んだ人間関係を描きながら、決して陰湿な読後感を与えない『夏の終り』の独自性が、こうした知子の性格に多く拠《よ》っていることはいうまでもあるまい。

＊

ここ数年の流行作家としての瀬戸内氏の実績については、わたしが述べる必要もないと思う。ただ若干の年譜的記録をそえれば、氏は大正十一年徳島の生れ。県立徳島高女を経て東京女子大国文科に学んだ。卒業後北京《ペキン》に渡ったが敗戦のため昭和二十一年に帰国。その後に創作活動をはじめている。三十一年、『女子大生曲愛玲』により新潮社同人雑誌賞を受けた。

しかし、多彩な創作活動の事実上の契機となったのは、三十六年の『田村俊子』による第一回田村俊子賞受賞だと思われる。二年後、『夏の終り』の女流文学賞受賞によって氏は作家的地位を確立し、流行作家として今日に及んでいる。伝記的小説作家としての氏の才能は、すでに『田村俊子』において認められるところだが、以後この方面での力作も多く、『女徳』『かの子撩乱』『美は乱調にあり』などに進境をうかがうことができる。

なお本文庫に収められている作品の発表年月及び発表誌は以下の通りである。

『あふれるもの』　昭和三十八年五月　（新潮）
『夏の終り』　昭和三十七年十月　（新潮）
『みれん』　昭和三十八年三月　（小説中央公論）
『花冷え』　昭和三十八年五月　（小説中央公論）
『雉子』　昭和三十八年三月　（新潮）

竹西寛子

瀬戸内晴美著

女徳

多くの男の命がけの愛をうけて、奔放に美しい女体を燃やして生きた女——今は京都に静かに余生を送る智蓮尼の波瀾の生涯を描く。

瀬戸内晴美著

いずこより

少女時代、短い結婚生活、家も子も捨てて奔った恋。やがて文学に志し、いつしか出離の想いに促されるまでを綴る波瀾の自伝小説。

瀬戸内晴美著

妻と女の間 (全二冊)

年下の男の積極的な愛に惑溺していく未亡人安澄と、その娘耀子の衝撃——恋に苦しみ、愛に悩む五人の女たちの、心の顫えを描く。

瀬戸内晴美著

遠い声

〈大逆事件〉の主謀者として、幸徳秋水ら十一名とともに死刑に処せられた管野須賀子。恋と革命に生きた彼女の短く烈しい生涯を描く。

瀬戸内晴美著

中世炎上

後深草院の寵愛をよそに、複数の男性と契りを重ね、愛欲の渦に呑みこまれていく美貌の女官、二条。女の愛と懊悩を描く歴史絵巻。

瀬戸内晴美著

色徳 (全二冊)

女体への尽きせぬ夢を追い続けた鮫島六右衛門。六歳で女を知ってから、彼に惚れた女は数知れない。色と欲に徹した男の業を描く。

三浦綾子著
道ありき
——青春編——
教員生活の挫折、病魔——絶望の底へ突き落とされた著者が、十三年の闘病の中で自己の青春の愛と信仰を赤裸々に告白した心の歴史。

三浦綾子著
生命に刻まれし愛のかたみ
自伝「道ありき」で、その愛と真実に満ちた交わりが深い感動を与えた著者三浦綾子と前川正の往復書簡、彼の残した創作などを収録。

三浦綾子著
この土の器をも
——道ありき第二部 結婚編——
長い療養生活ののち、三十七歳で結婚した著者が、夫婦の愛とは何か、家庭を築くとはどういうことかを、自己に問い綴った自伝長編。

三浦綾子著
光あるうちに
道ありき第三部信仰入門編
神とは、愛とは、罪とは、死とは何なのか？人間として、かけがえのない命を生きて行くために大切な事は何かを問う愛と信仰の書。

金井美恵子著
愛の生活
確かな感受性、豊饒なイメージ、鮮明な描写で現代を生きる意識に形を与えた著者二十歳の作品集。「自然の子供」「エオンタ」を併録。

金井美恵子著
夢の時間
喪われた愛を追い求めて旅立つアイは、夢とも現実ともつかぬ果てしない迷路を彷徨する——ユニークな言語の時空を構築する連作集。

森　茉莉著

恋人たちの森

頽廃と純真の綾なす官能的な恋の火を、言葉の贅を尽して描いた表題作、禁じられた恋の光輝と悲傷を綴る「枯葉の寝床」など4編。

森　茉莉著

贅沢貧乏

愛猫と二人(?)の珍妙な暮しを軽妙な筆で綴る批評的自画像。中身のない見せかけの現代風の生活を侮蔑しながら奔放な夢を描く5編。

森　茉莉著

甘い蜜の部屋

無垢な魂と魔性の炎を秘めた美少女モイラが、父親と築いた二人だけの部屋——香り高い美の世界を豪奢な背景に描く華麗な長編ロマン。

田辺聖子著

ここだけの女の話

〝ここだけの話〟、だったら喋るなと男は言うけれど、これは女の会話の枕詞なのだ！　ユーモアとペーソスで男女の機微を描く10編。

田辺聖子著

窓を開けますか？

自分のタイムテーブルに従って楽しく生きているうちに適齢期を越えてしまったハイミスたちのさまざまな人生のかたちを軽妙に描く。

田辺聖子著

夜あけのさよなら

ある日、街で出会った中年男性から、薔薇屋敷に招かれたOLのレイ子……失われた青春の痛みがよみがえり、忘れられない恋の物語。

田辺聖子著

文車日記

古典の中から、著者が長年いつくしんできた作品の数々を、わかりやすく紹介し、そこに展開された人々のドラマを語るエッセイ集。

萩原葉子著

蕁《いら》麻《くさ》の家

男と出奔した母、家族の修羅場とは別の世界に生きる父——天才詩人萩原朔太郎を父にもちながら、暗い青春を送った著者の魂の告白。

萩原葉子著

花笑み・天上の花

離れ離れに人生を歩んできた母と娘の再会がひきおこした複雑な生活の波紋「花笑み」。三好達治のありし日を描く「天上の花」等全5編。

高橋たか子著

没落風景

結婚に失敗して修道院へ通う姉と、男の面影を追って、あてどなく散策をつづける妹。孤立した家族が崩壊していくさまを追求する。

有吉佐和子著

紀ノ川

小さな流れを呑みこんで大きな川となる紀ノ川に託して、明治・大正・昭和の三代にわたる女の系譜を、和歌山の素封家を舞台に辿る。

有吉佐和子著

一の糸

少女の頃、文楽で露沢清太郎の弾く一の糸の音に魅せられた茜——芸一筋に生きる男の厳しさと、その陰でひたむきに生きた女を描く。

夏《なつ》の終《おわ》り

新潮文庫　草144=1

昭和四十一年十一月十日　発行
昭和五十八年　一月十五日　三十二刷

著者　瀬《せ》戸《と》内《うち》晴《はる》美《み》

発行者　佐藤亮一

発行所　株式会社　新潮社
郵便番号　一六二
東京都新宿区矢来町七一
電話　業務部(〇三)二六六—五一一一
編集部(〇三)二六六—五四四〇
振替　東京四—八〇八番

定価はカバーに表示してあります。

㊂　印刷・三晃印刷株式会社　製本・憲専堂製本株式会社

ISBN4-10-114401-X C0193